西暦三〇〇五年
人類は
七世紀ぶりに
火星への
有人飛行を
成功させた

入植地の跡だ

すごいぞ
かつては空気で満たされ人々が生活していたのだろう
改修すればまだ使えそうだ

#1

半年後
地球

666.6
Km/h

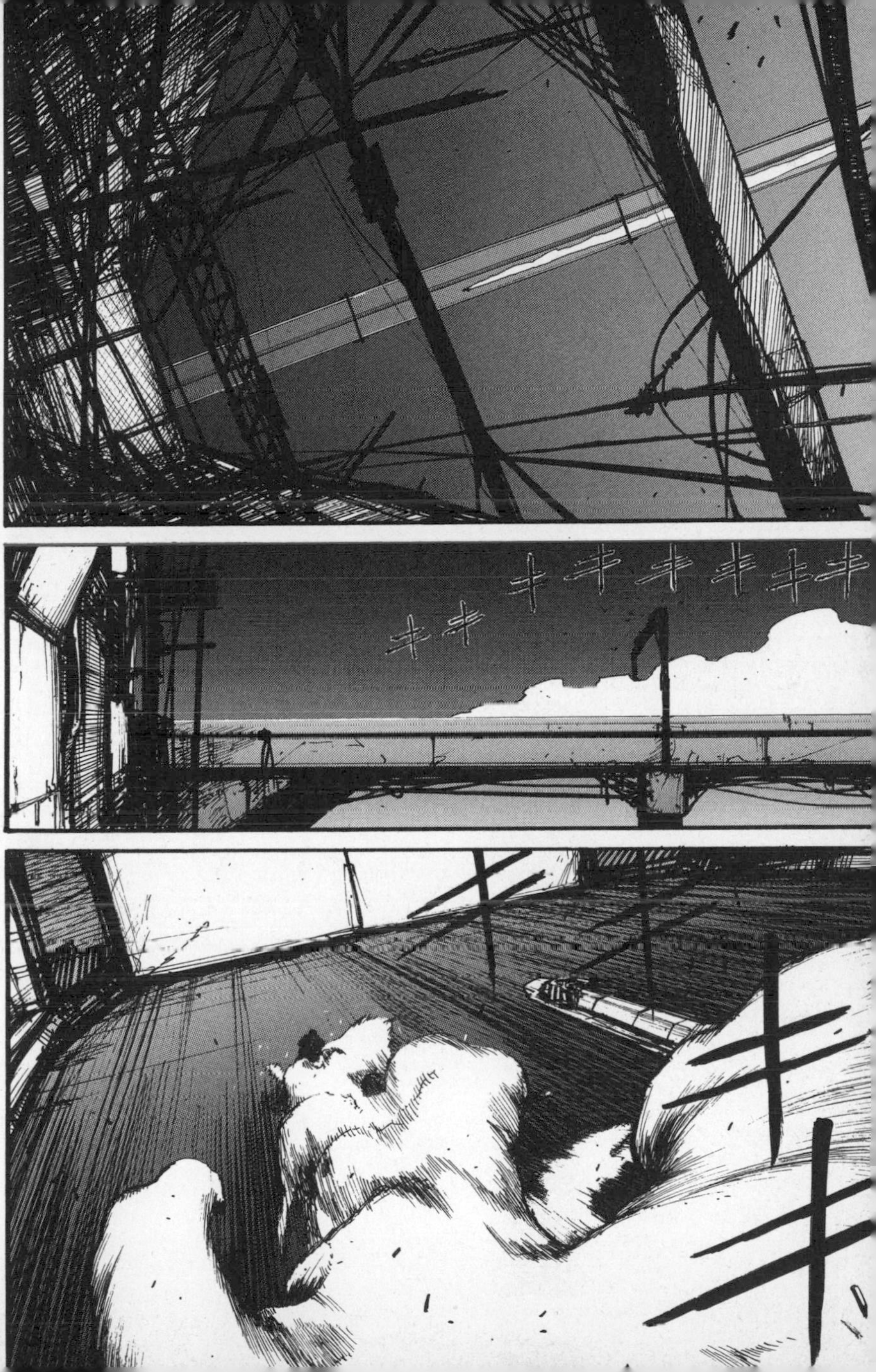
キキキキキキキキ
キキ

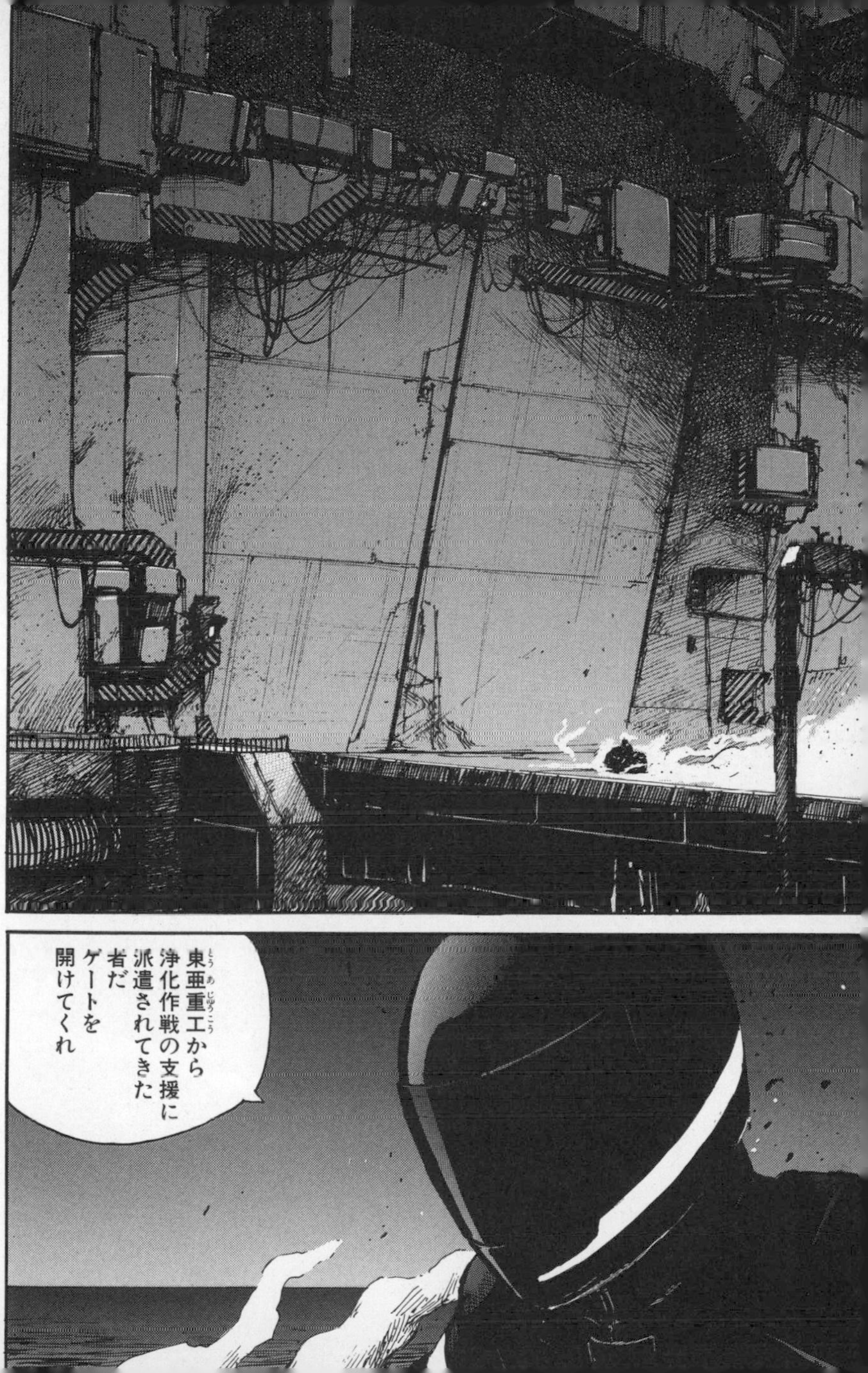
東亜重工《とうあじゅうこう》から浄化作戦の支援に派遣されてきた者だ ゲートを開けてくれ

この地区は五時間前に〝危機的状況〟に段階更新され封鎖されました
一度 入島すると当局の許可なしでは外に出られなくなりますがよろしいですか
承諾した
ガゴン
ゴゴゴゴゴゴ

どうだ？
今街中の監視カメラを全て傍受してるわ
……
九〇二七ヵ所のカメラで人影を確認
私の判断では殆《ほとん》どが通常のN5Sウィルス感染者《ドローン》よ
どうする？
総当たりで調べる
了解

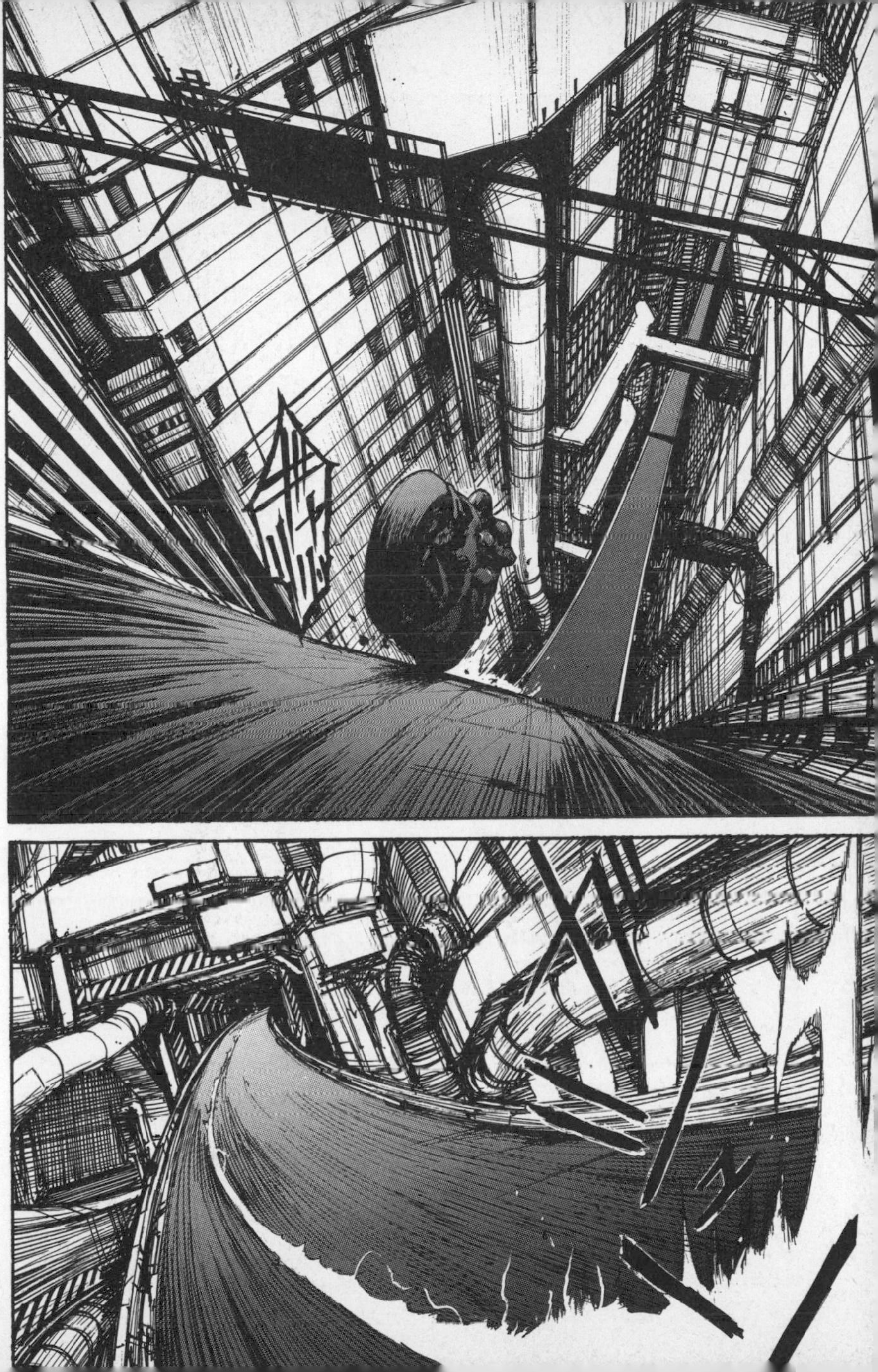

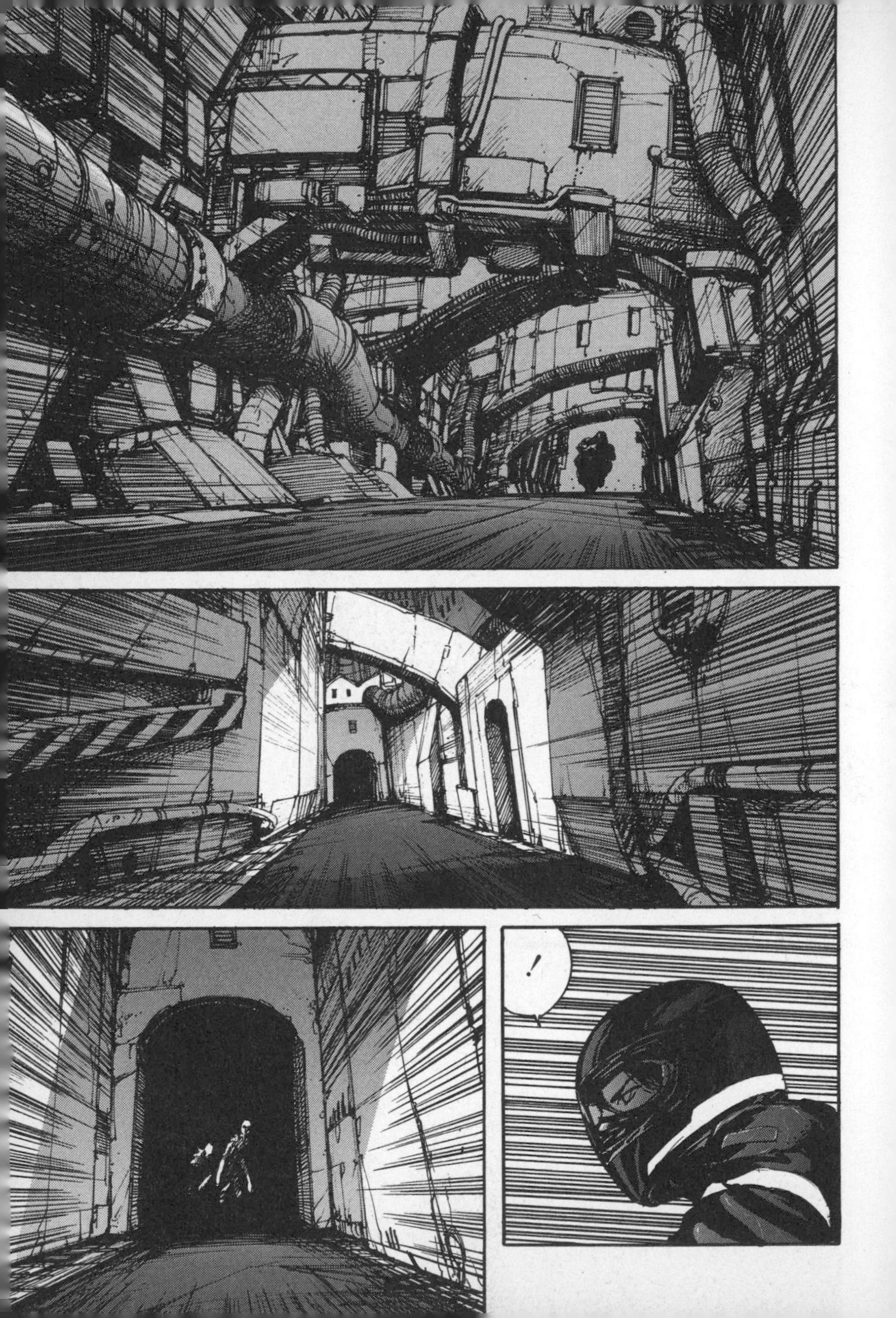

ヴオ
ドローン！
!!

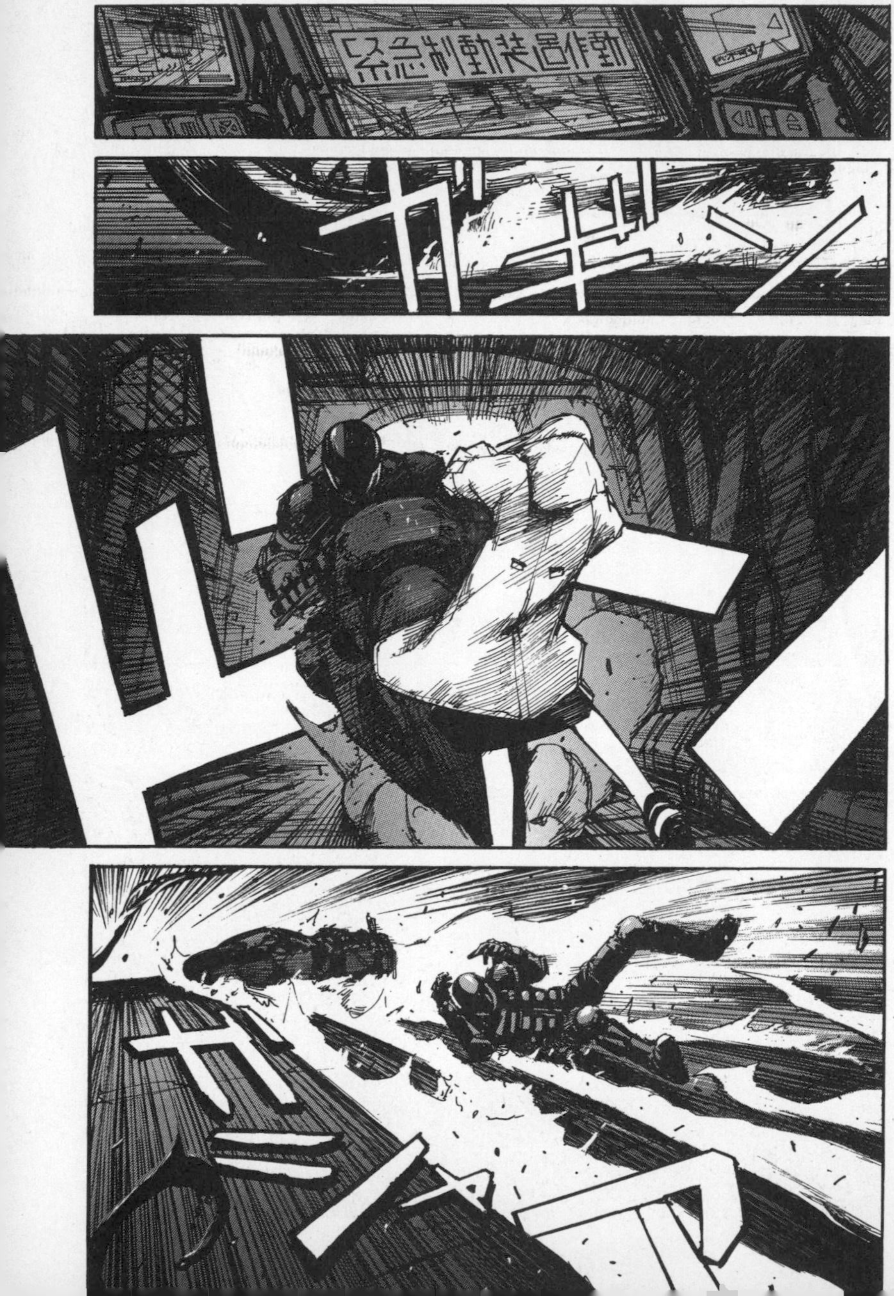
緊急制動装置作動

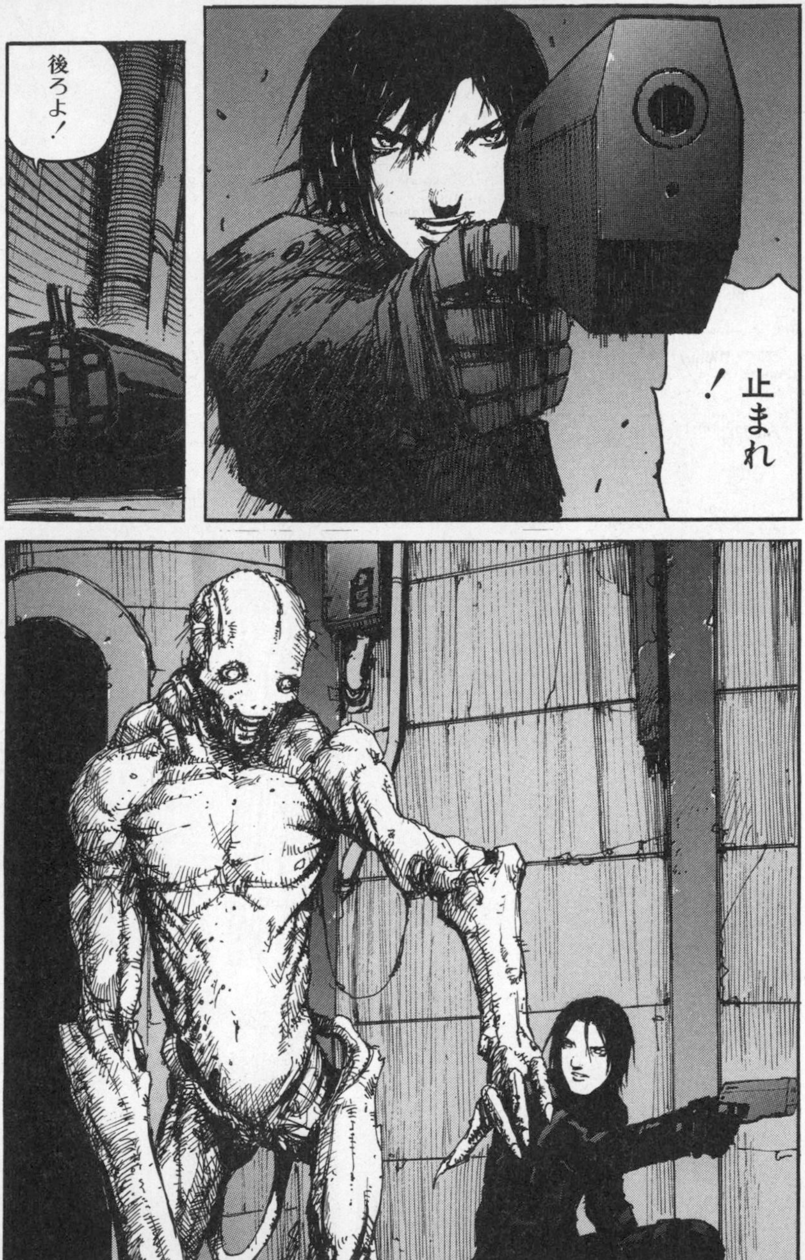
止まれ！
後ろよ！

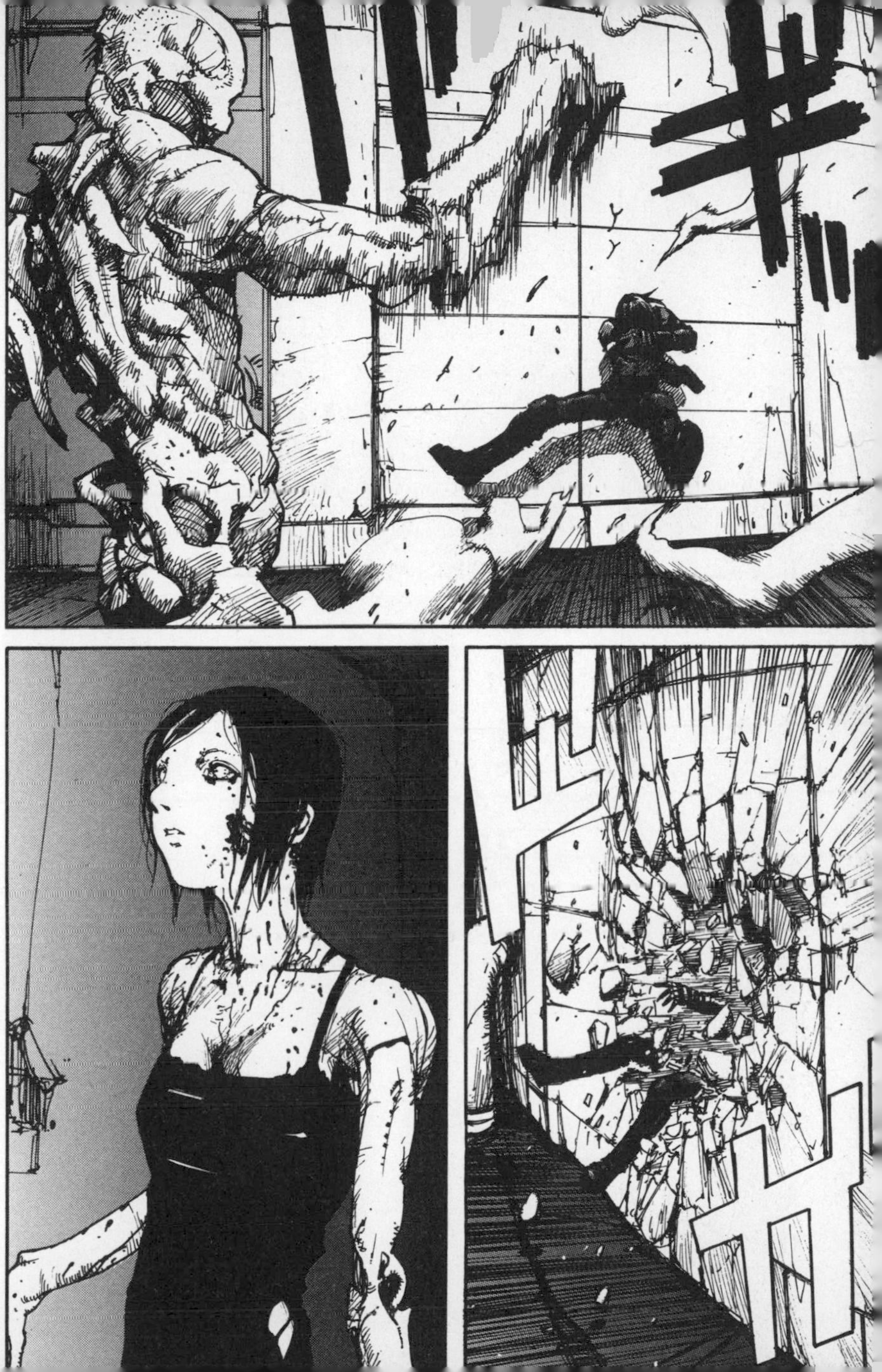
ギ

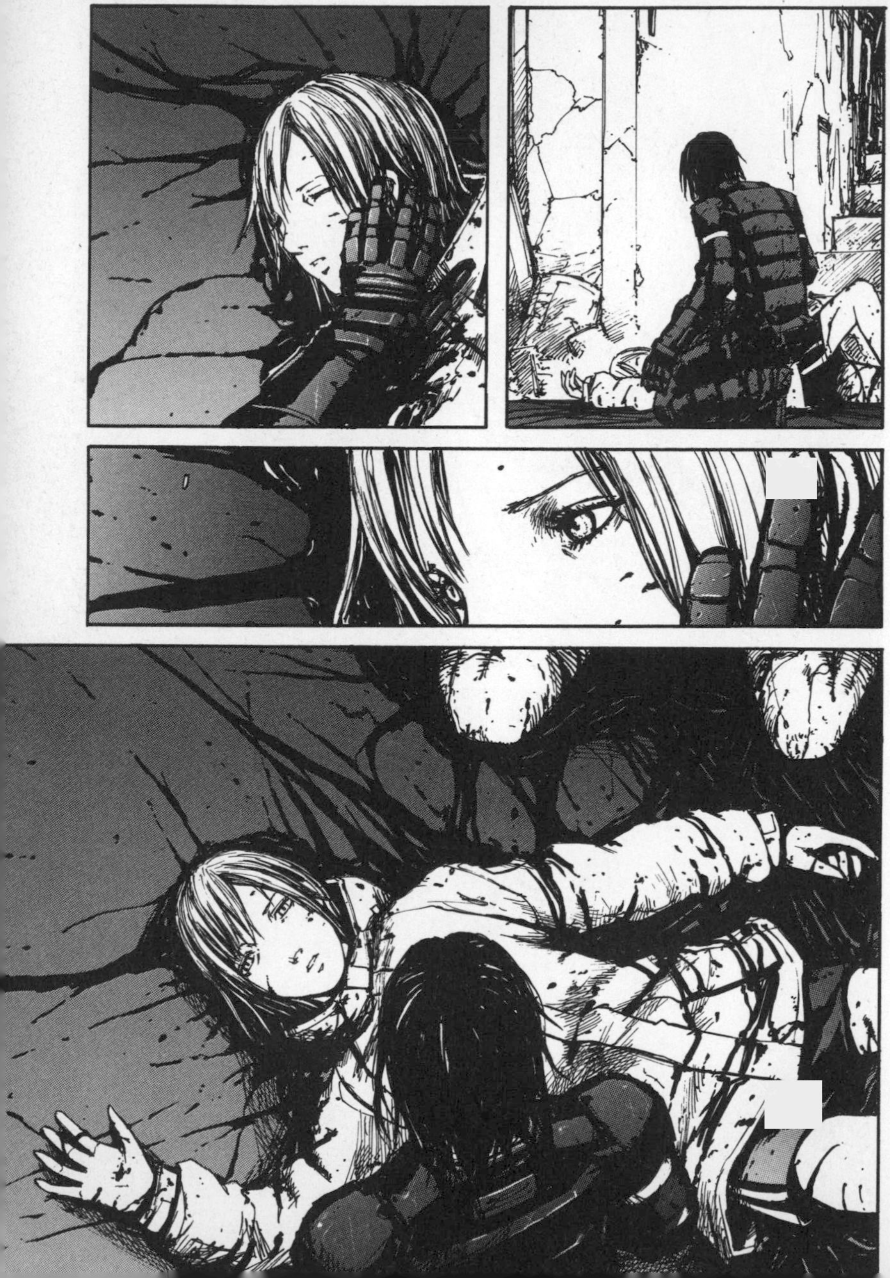

あっ!
待てっ じっとしてろ

見た!?
その子は
──
動くな

武器を捨てて
その子から
離れろ
イオン
こっちへ
おいで

何だ？クマを見るのは初めてって顔してるぞ
その服装は公衆衛生局の強制執行部隊とは違うようだな
何者だ？

東亜重工から派遣された者だ
都市の浄化と人命救助の支援をしに来た
外国人か
!
この虹彩《こうさい》!
驚いたな……
…お前合成人間なのか

今さら浄化などしても無駄だ
自分の国に帰れ
チャッ
パタパタ
バタンッ

くそっ

見つけたわね！
大失態だ
ひき殺しそうになったうえに取り逃がしてしまった
そんなに落ち込まないで
こんな早く見つかるなんて大収穫よ
それにあの おしゃべりなクマのおかげであの子の身元が分かったわ

イオン・グリーン
17歳
両親はなし
記録では
祖父の住居に
一人で住んでるって
事になってる
人間の姿の
ままで
あの回復力
間違いないわ
この子は
N5Sウィルス
適応者よ

#1END

#2

気のせいかしら
N5Sウィルス感染者たちが みな同じ方向を向いているような…
そろそろ見えてくるわ
あれよ

あの建造物がまるごと一棟イオン・グリーンの祖父の住居よ
仮に記録通り彼女があの建物に住んでいたとしても
あの中から見つけだすのには少し手間がかかりそうね
ヒュルル

チャンネル5《ファイブ》
ニュース速報です
南十七地区にある
MSCF(最厳重
警備隔離施設)の
浄化の続報を
お届けします
第七MSCFは
現在も依然として
多数のN5Sウィルス
感染者らにより
包囲されたままです
公衆衛生局の
強制執行
部隊によって
懸命な浄化作業が
続けられていますが
まるでMSCFに
引き寄せられる
かのように
次々と感染者らが
押しよせてくるため
作業が難航しています

なぜN5Sウィルス感染者らがこのような行動をとるのかなどについて当局は一切コメントしていません
なお事態が沈静化する見込みはたっておらず外出規制が解かれるのにはまだ時間がかかるものと思われます
一刻も早く我々の街に再び平穏が訪れることが望まれます
「平和と愛を」以上 チャンネル5ニュース速報でした
ピコン
ザーー

ジジジジ

ジジジジジジ
ジジジジ
ジジジジ
ジジジ
ジジ

公衆衛生局の巡回査察員だ
ドアを開けろ
！
イオン起きるんだ
イオン
ドン
ドン

こんなときに！

誰もいないのか?
ドアを開けろ

キィイイイイ
ガッ
ギュイイイ

目的の
建物から
衝撃波を感知
急いだほうが
いいかも
BIOMEGA
#2END

#3

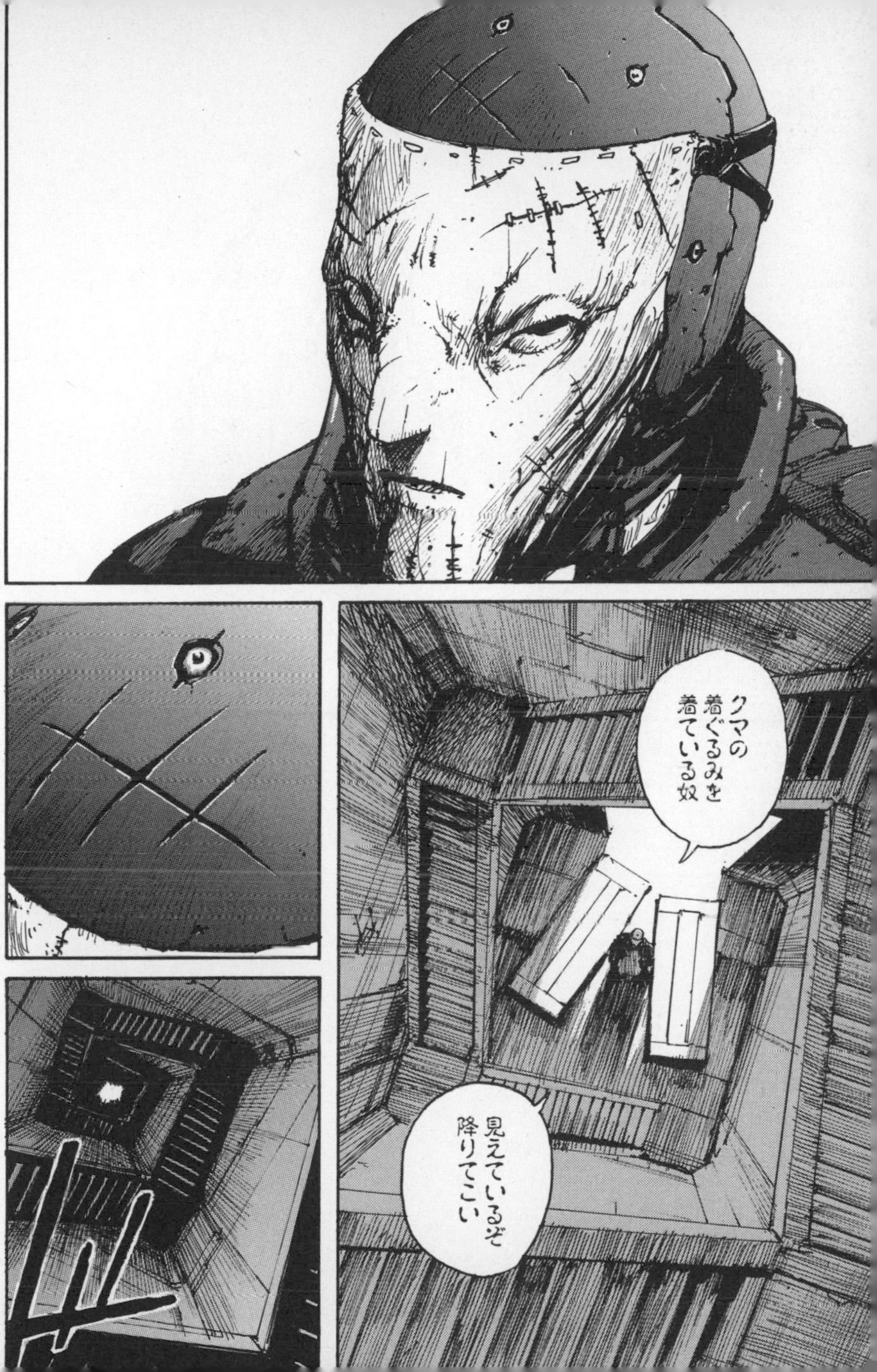
クマの
着ぐるみを
着ている奴
見えているぞ
降りてこい

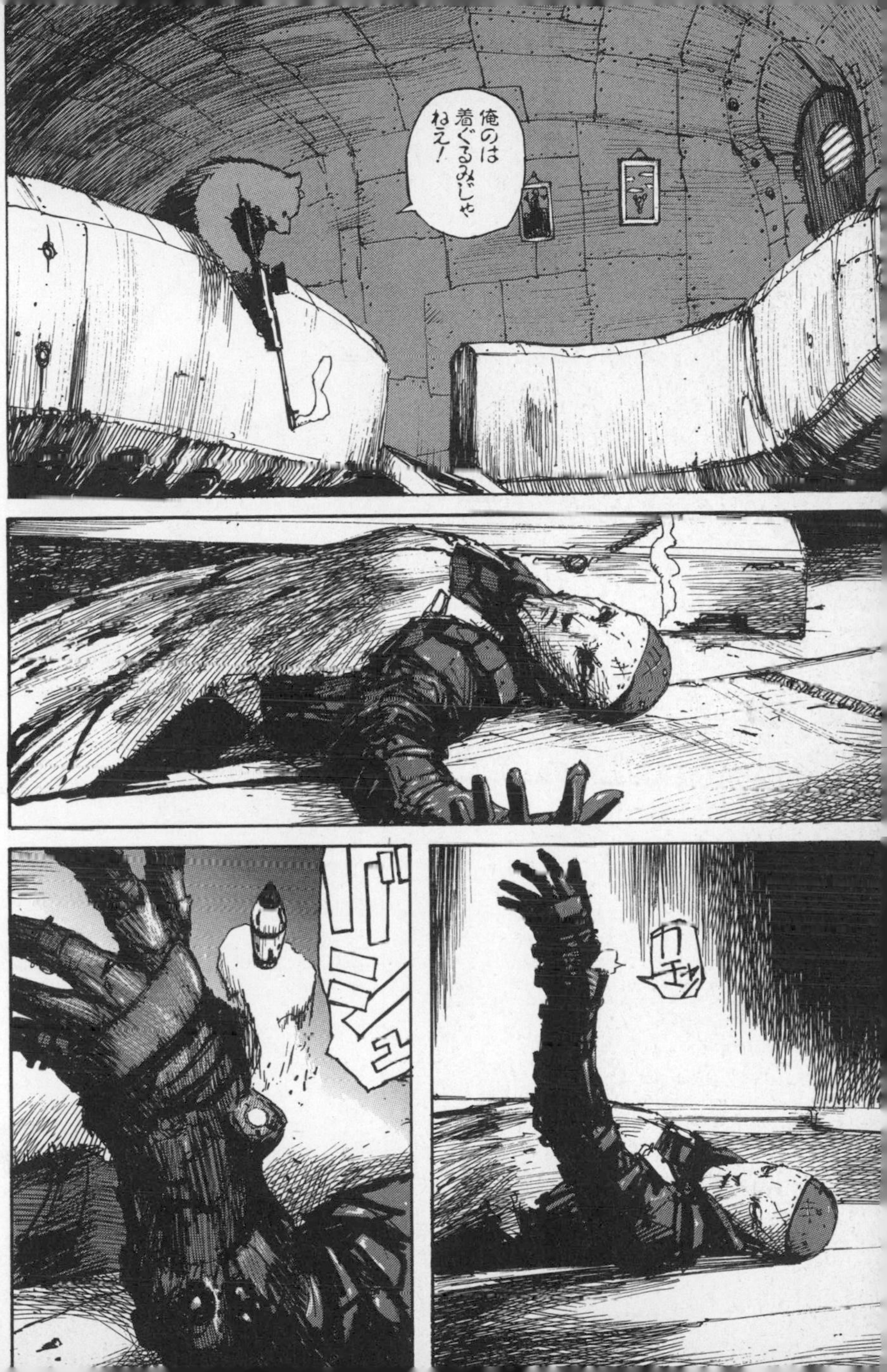
俺のは着ぐるみじゃねえ!
カチャ

ジルルル

ゴオオオオ

Programming channel
5
NARITA
215

止まれ
モゴ
D762 NTS

公衆衛生局の強制執行部隊よ
何をしている?
今 外に出ている者はN5Sウィルス感染者と見なされるぞ
支援活動をしに来た者だ
パッ
通してくれ

今 センターに連絡して照会しているそこで待て
乗り物から降りて通路に手をつけ
何の電波も発信されていない照会なんてウソよ
これは ただの嫌がらせね

早くしろ
ミーン
L196ライフルの射撃音と特定
あのクマが持っていた銃よ
コッ
言われた通りにしろ!

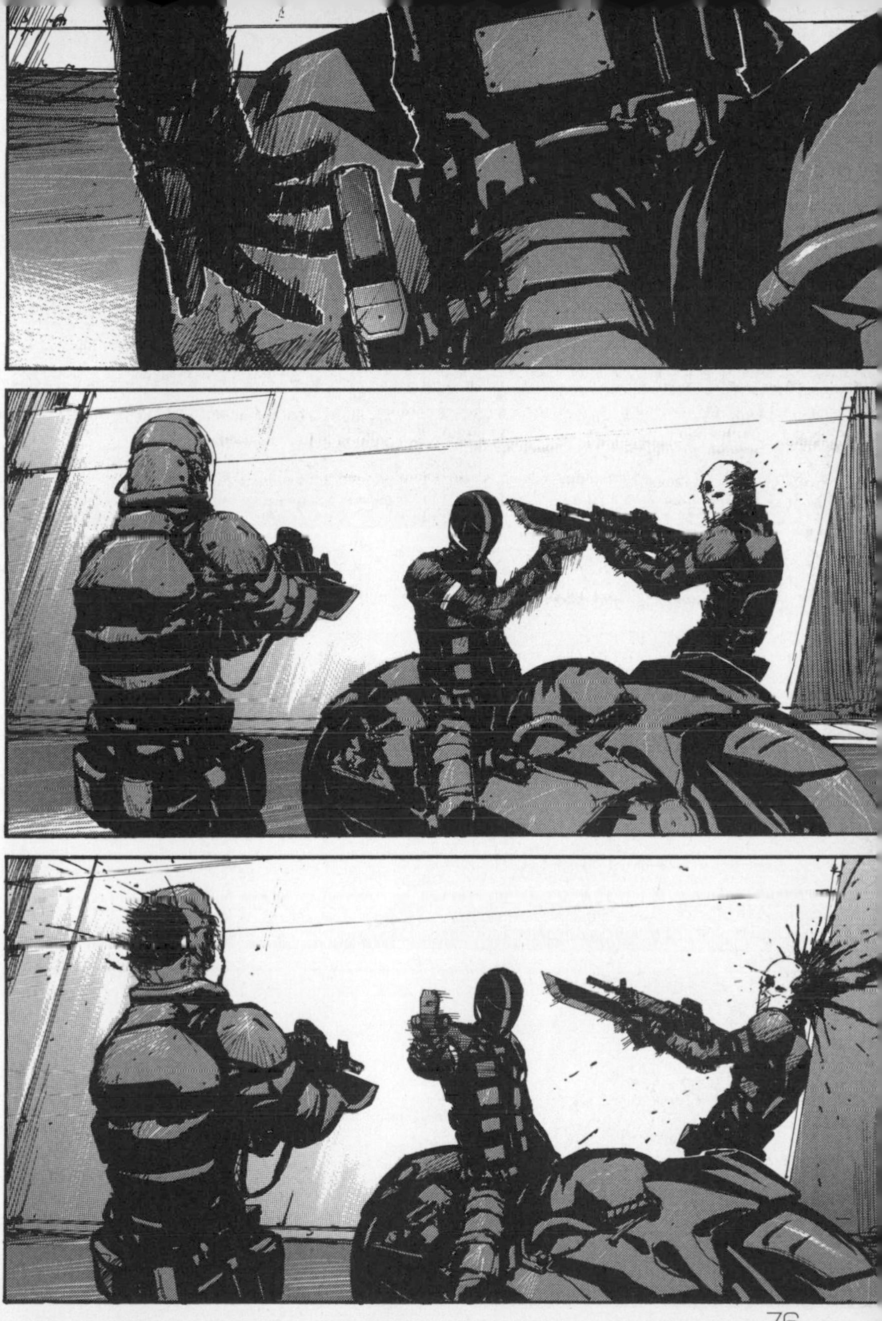

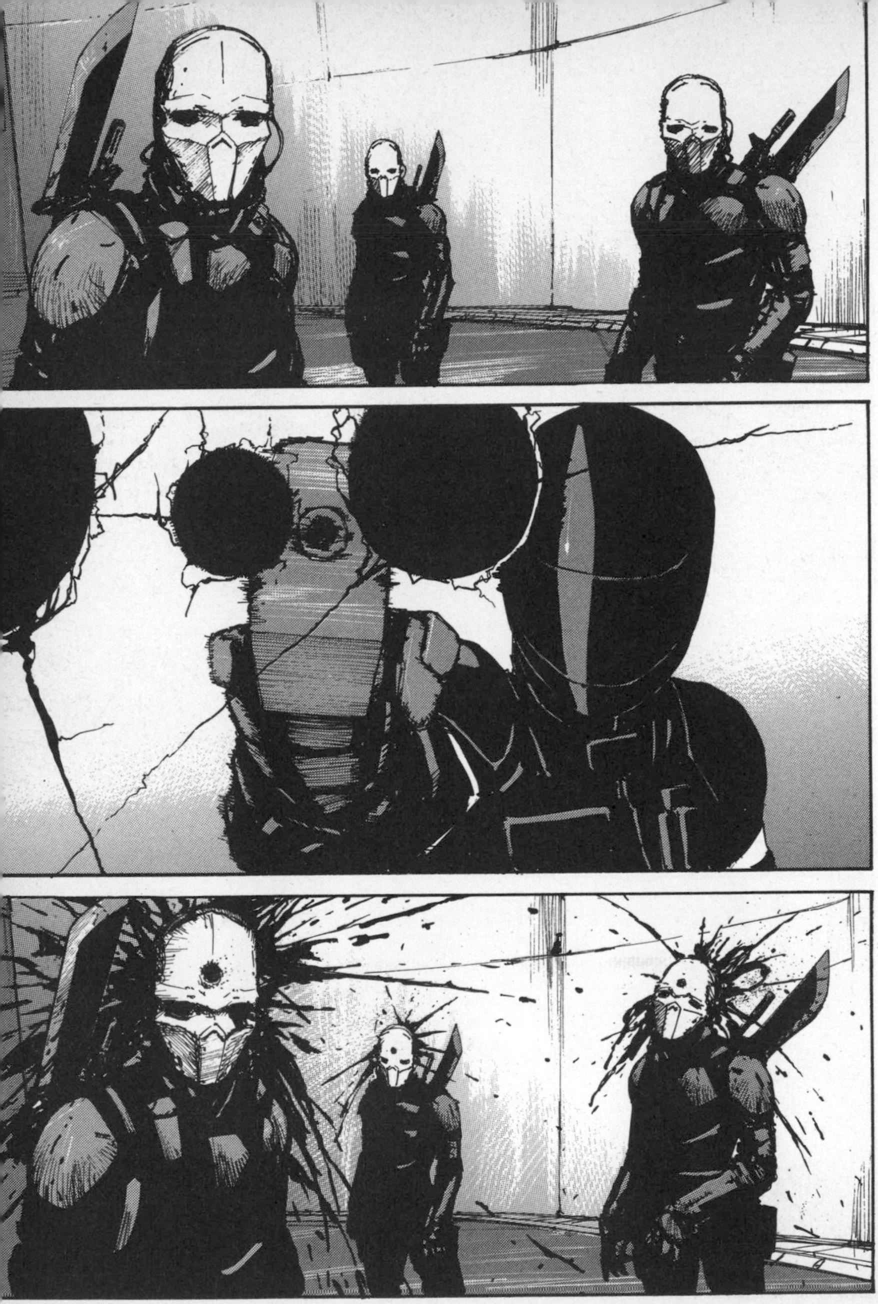

ドサッ

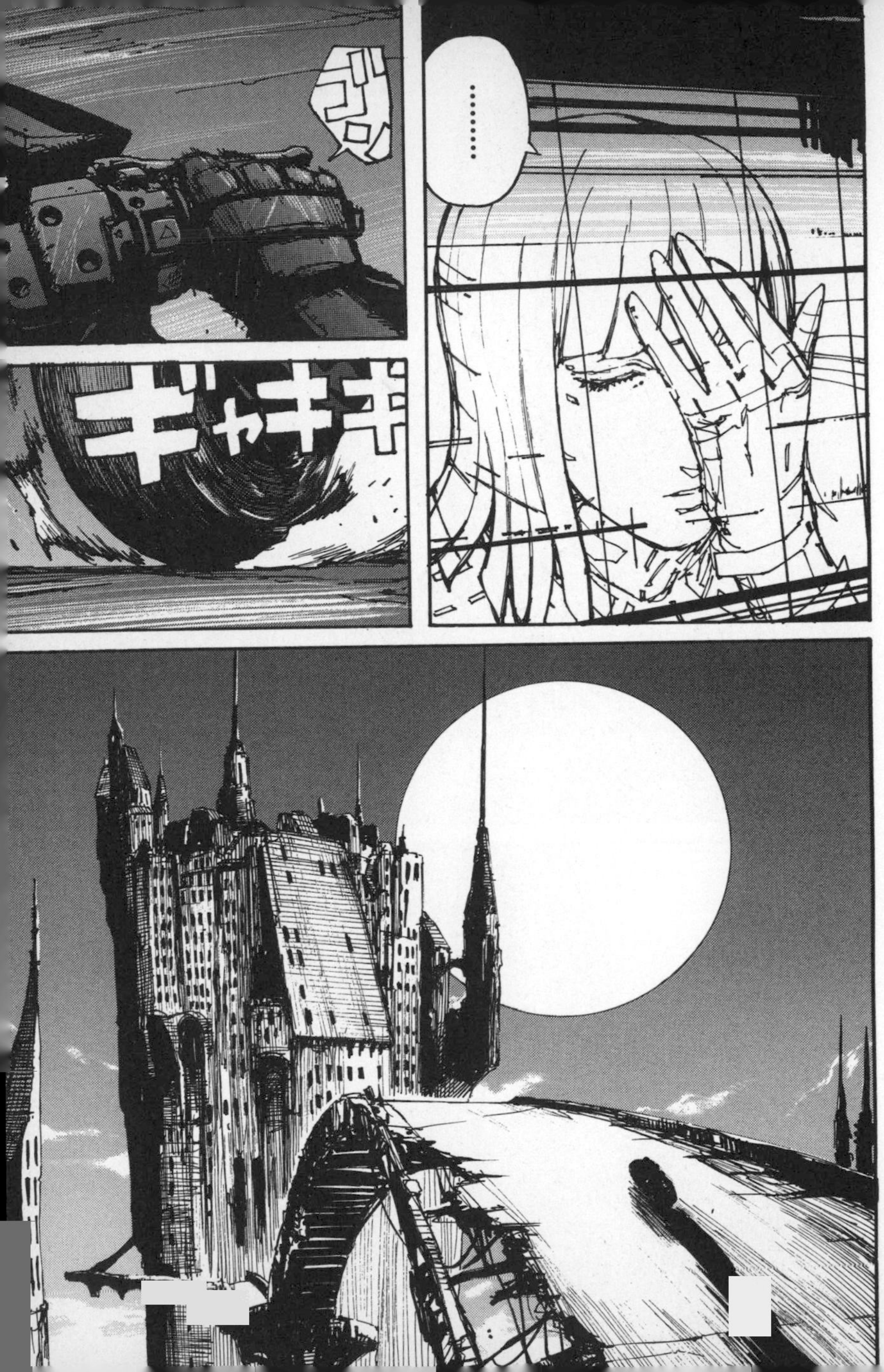
……
ゴロン
ギャキキ

ギーン

ガゴン!
ドゴゴゴ

ゴト
BIOMEGA
#3END

#4

ゴン
ガコン

ガシャン

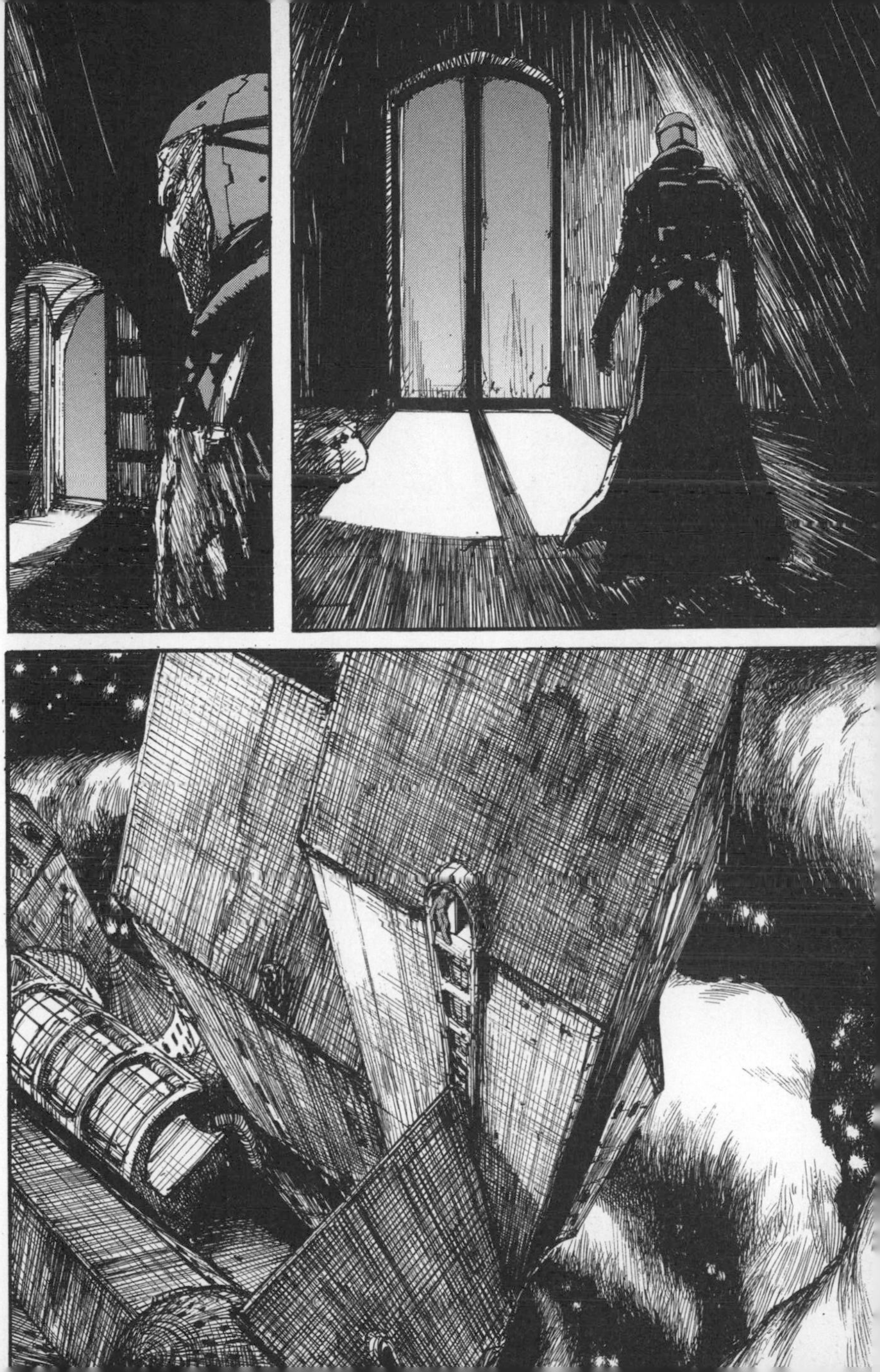

公衆衛生局の巡回査察員だ
そこにいるのはイオン・グリーンだな？当局の命令でおまえを連行する
ガゴン
ガゴン
ゴン

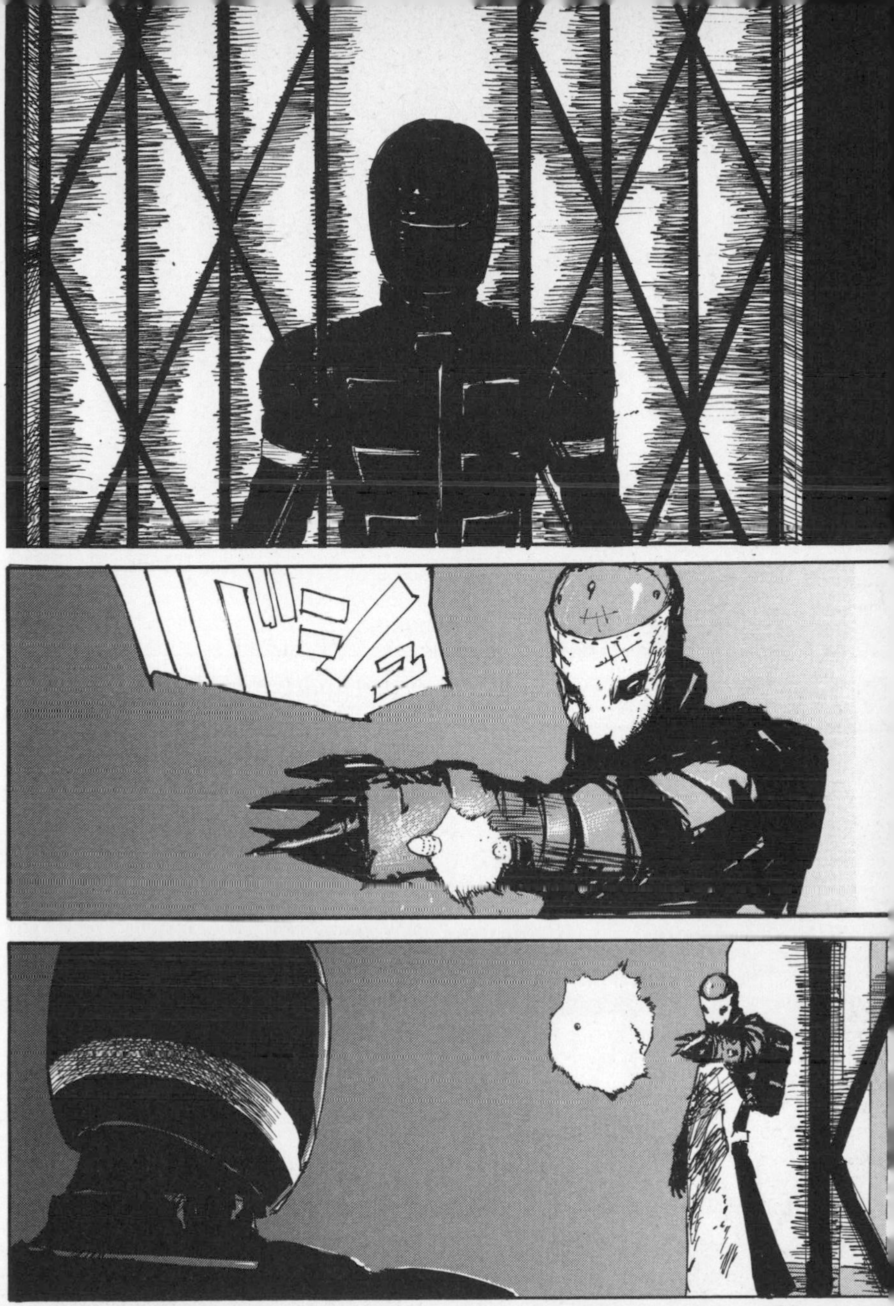

ガッ

ドドーン
ポロ
ザザッ
ズル

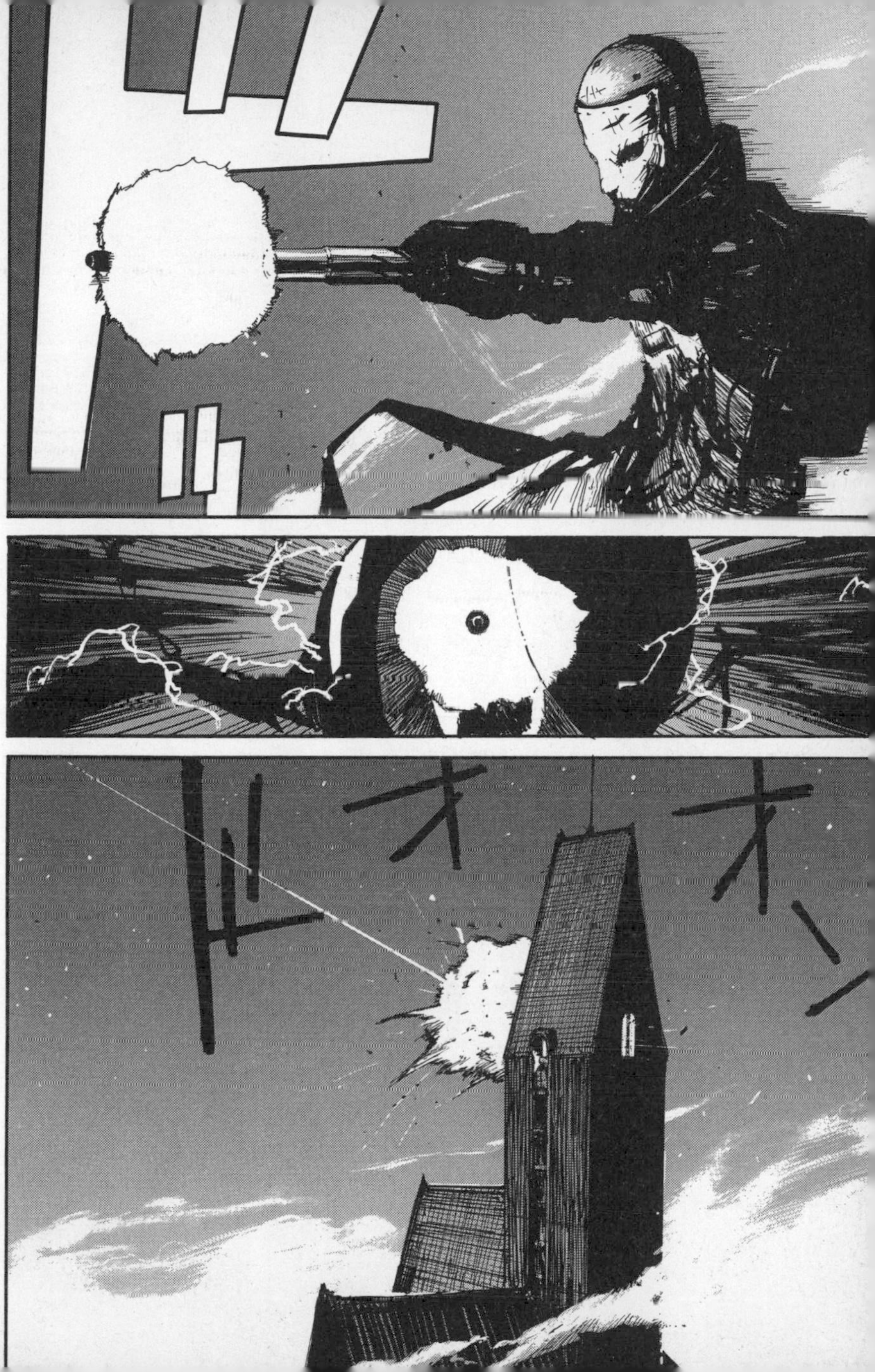
ドオオーン

トス

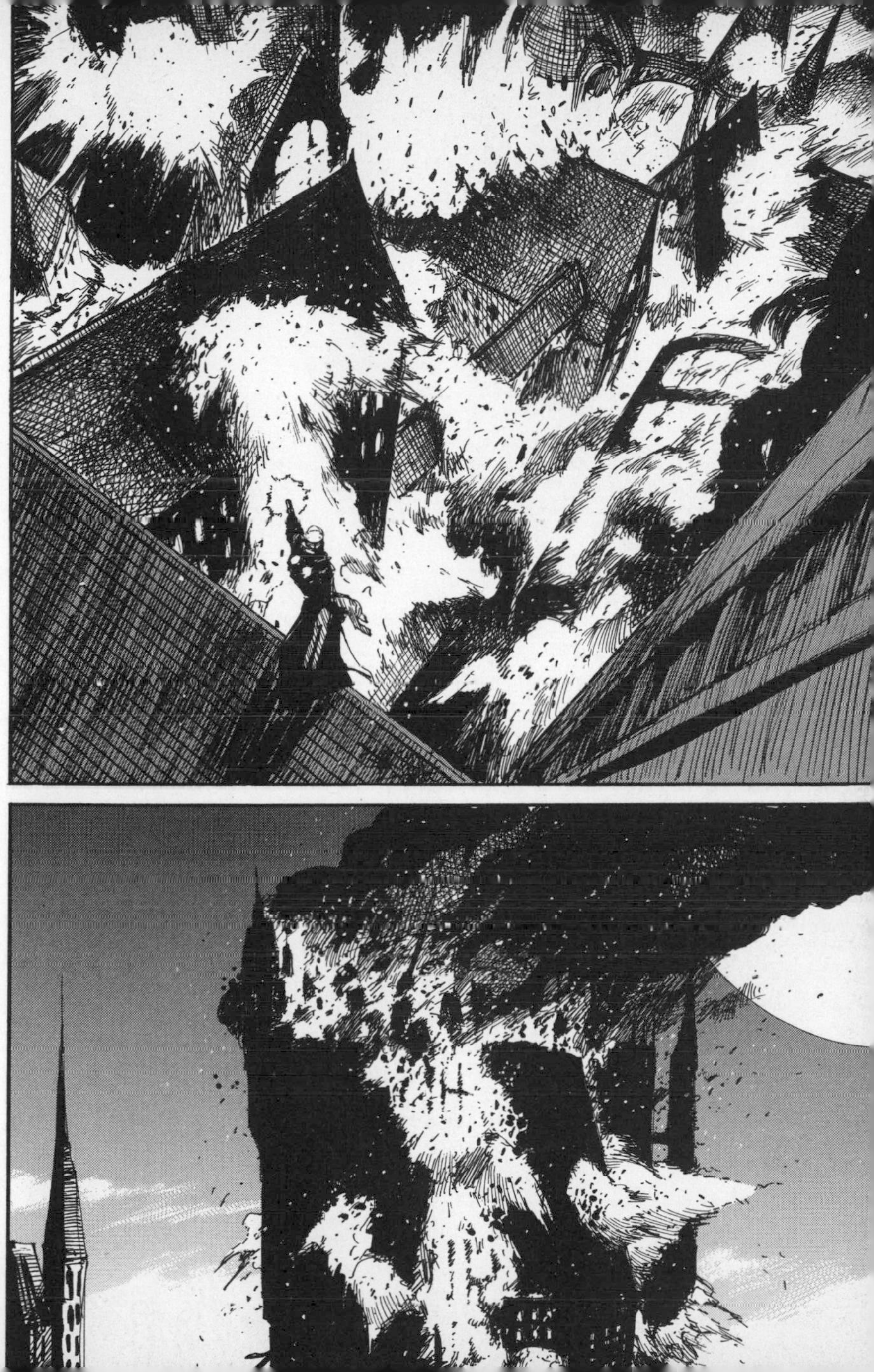

BIOMEGA
#4END

#5

ヴヴヴヴヴ
身体制御不能

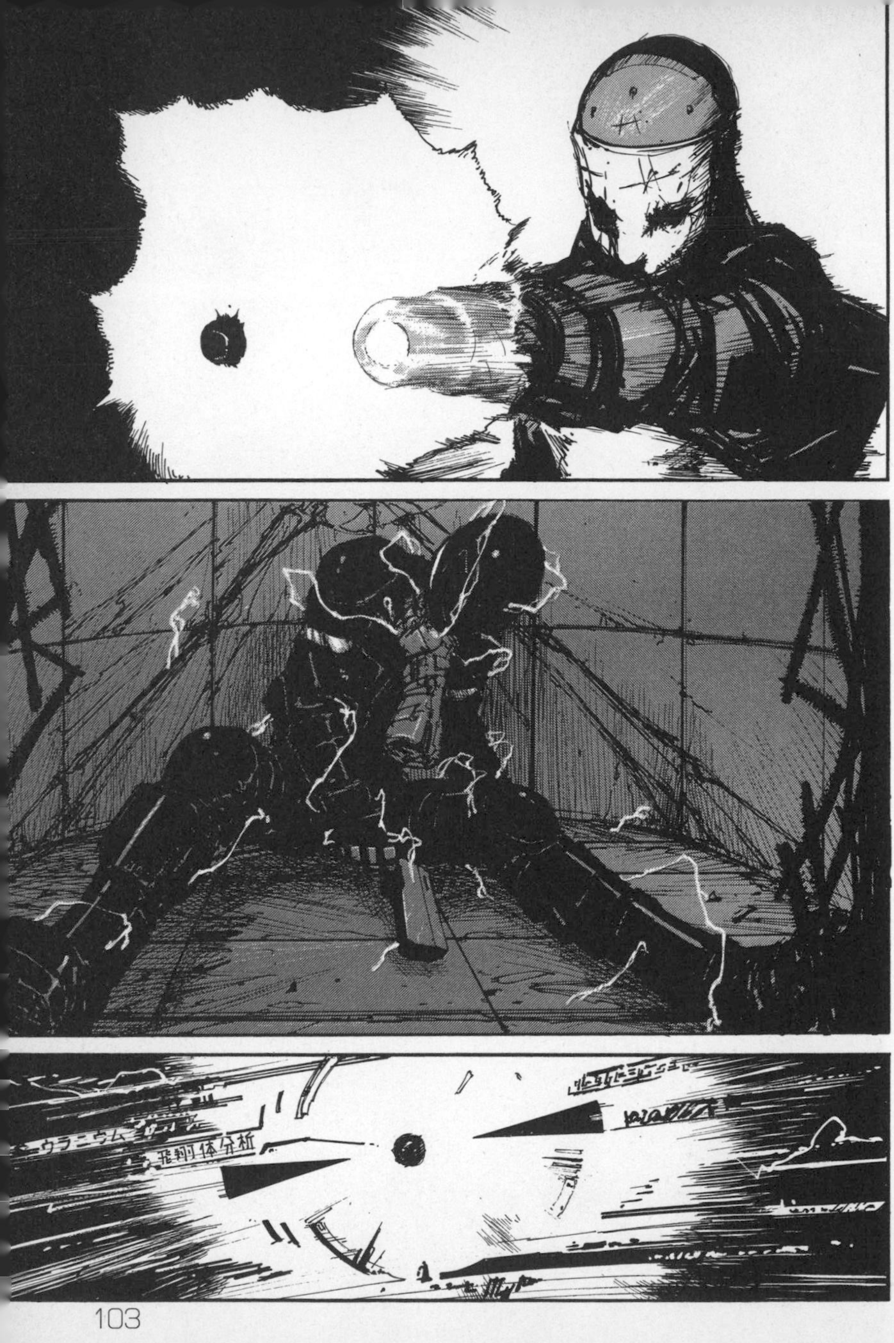
ウラニウム
飛翔体分析

造一《ぞういち》！起きて!!
造一!!
造一!!

起動

イオン・グリーンはどこだ？
連れていかれたわ
追跡する
これは七十一秒前の画像なのよもう近くにはいないわ

それより
この建物は
もうすぐ
倒壊するわ
まずは
いったん避難
しましょう
ゴゴオ
了解

まだ生きている

プシュウウ
ちょっと待って 意識のないクマを 助けてる余裕 なんてないわ
ゴオオ

ギュイン
どうするつもりなの？
ドサ
……
ガアッハッ

乗れ
……おまえは……
早く乗りなさい!!!

待てっ
待てっ
それは
ないぞっ
ない！

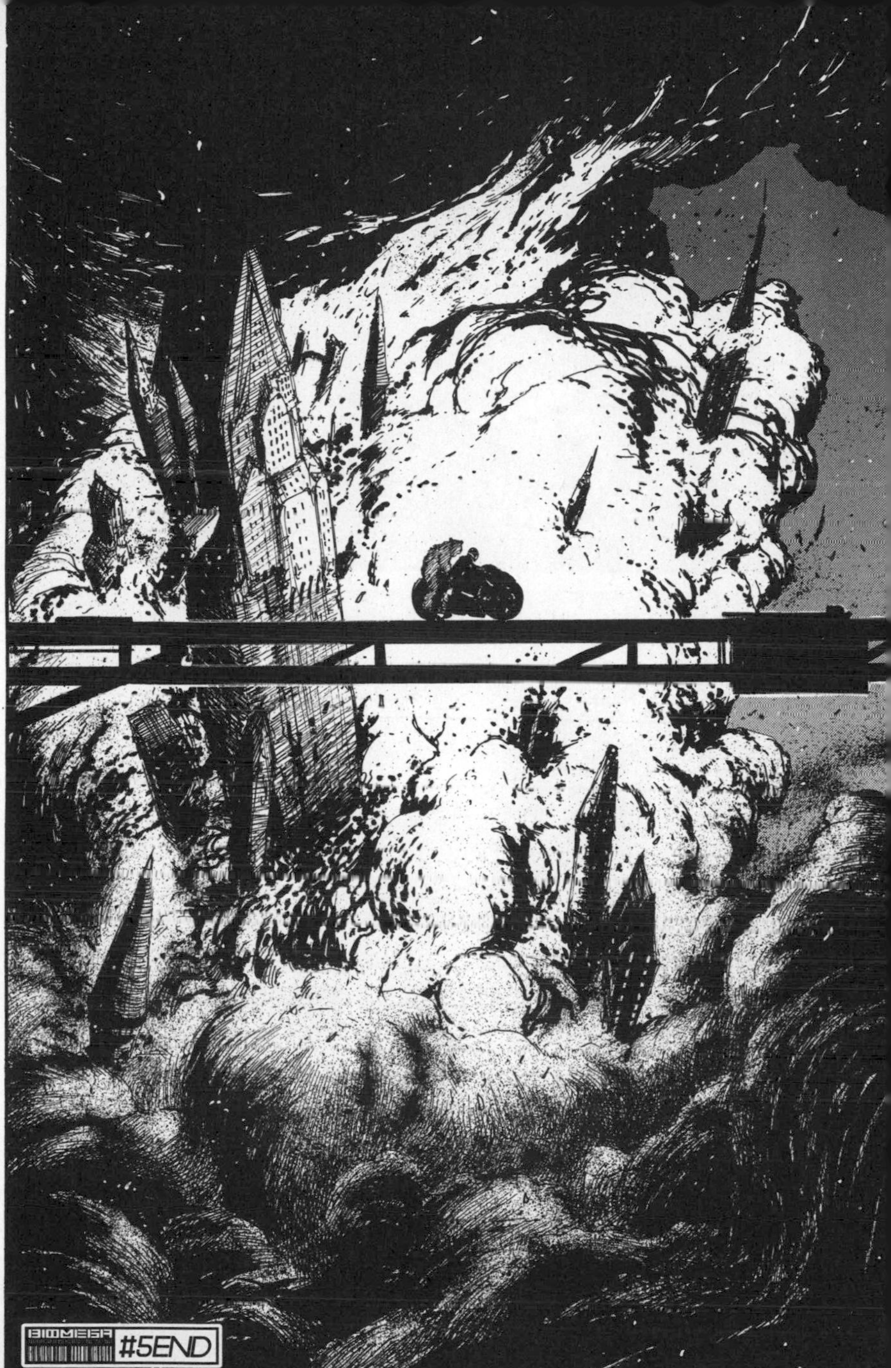
BIOMEGA
#5END

#6

巡回査察員はどうして感染しているはずのイオンを殺さなかったんだ？
キイイイイイイ
彼女はN5Sウィルス適応者なの
…
適応者？
詳しい事は私達も分からないけど
体細胞がドローン化しても外見が変化せず自我も失わない人間がごく希《まれ》に現われるらしいの

それじゃ公衆衛生局はイオンで実験か何かするつもりなのか？
あんた達東亜重工の目的も同じなのか？
私達が※9JO《ナインジエイオー》に来た本当の目的は適応者の発見と保護
今はもう研究なんてしている場合じゃないの
もう手遅れだから
手遅れ？何が？
去年※DRF《Data Recovery Foundation》が火星に探査船を送ったのは知ってるわね？
ああ

※9JO＝八百年前に太平洋上に建造された人工島

※DRF(Data Recovery Foundation)＝技術文化遺産復興財団

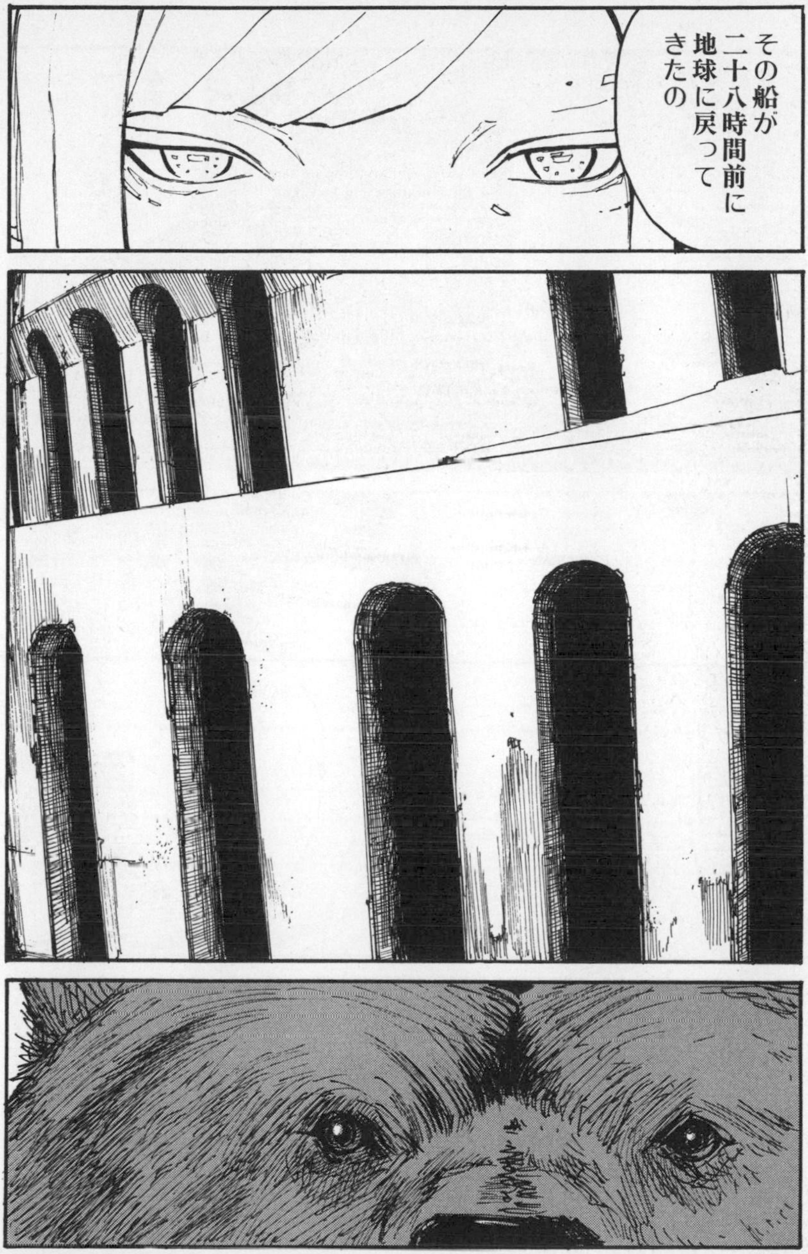
その船が二十八時間前に地球に戻ってきたの

探査船は
地球周回軌道で
なにかの事故で
大破
太平洋上に
落ちた破片の
いくつかを
DRFが
回収したわ

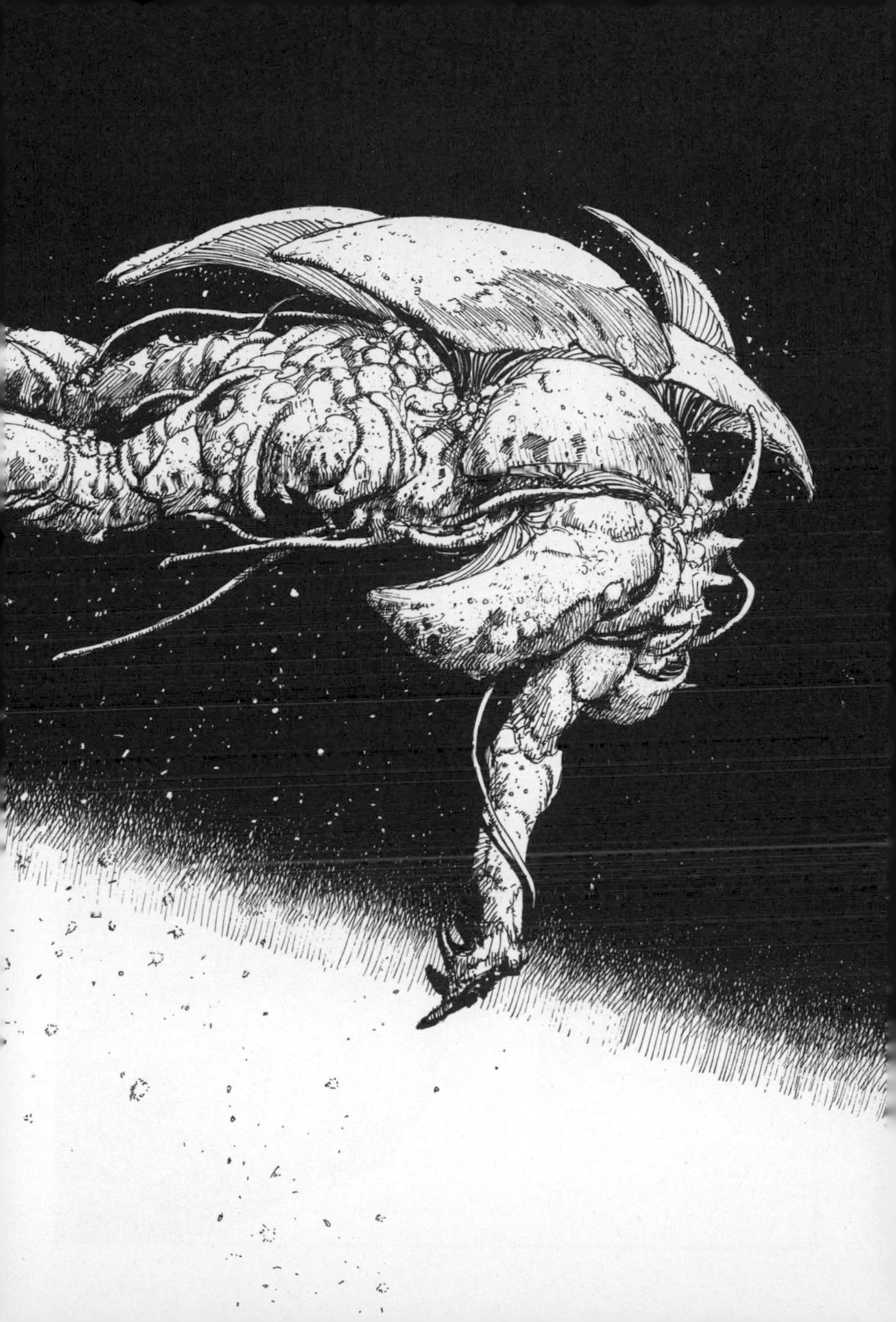

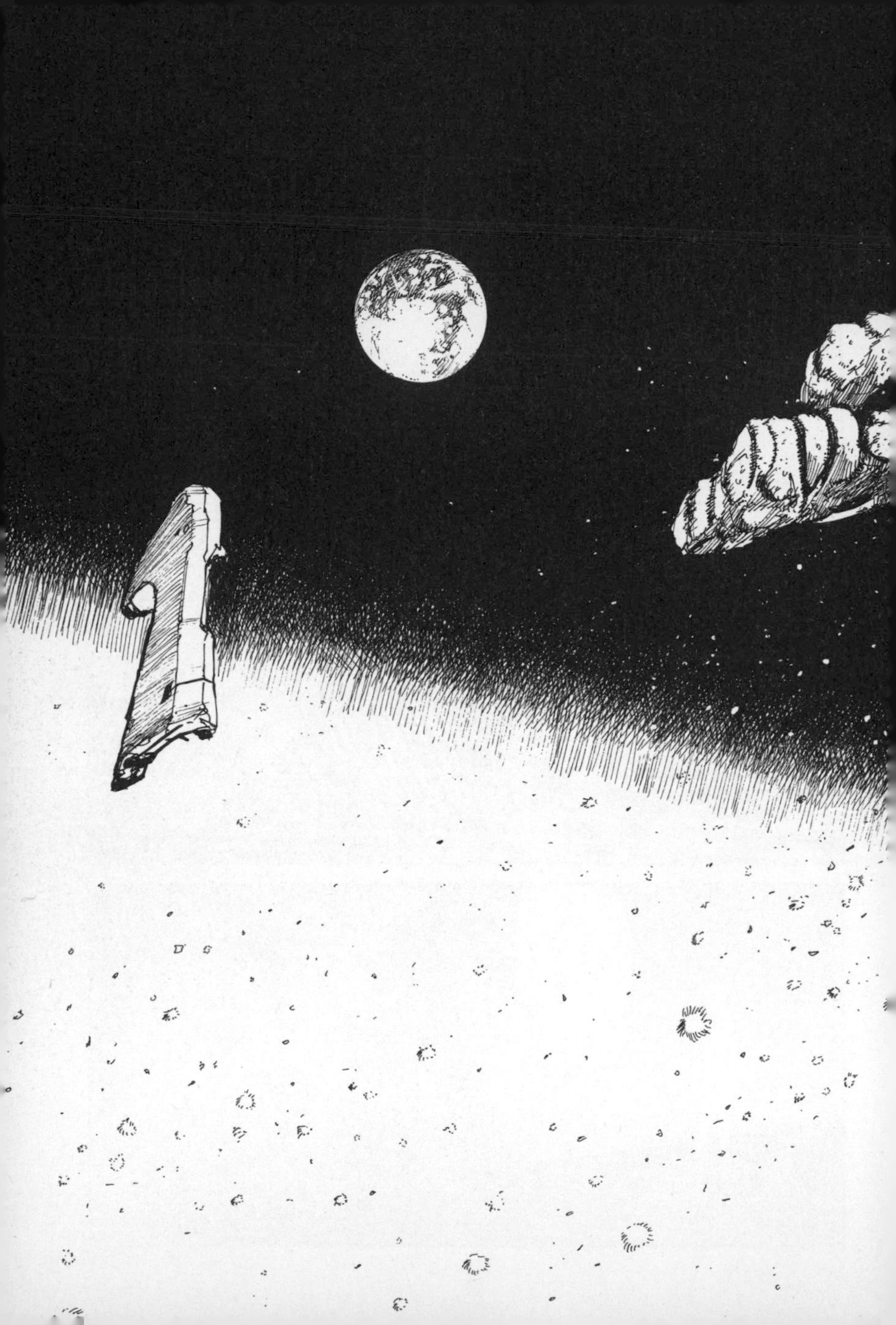

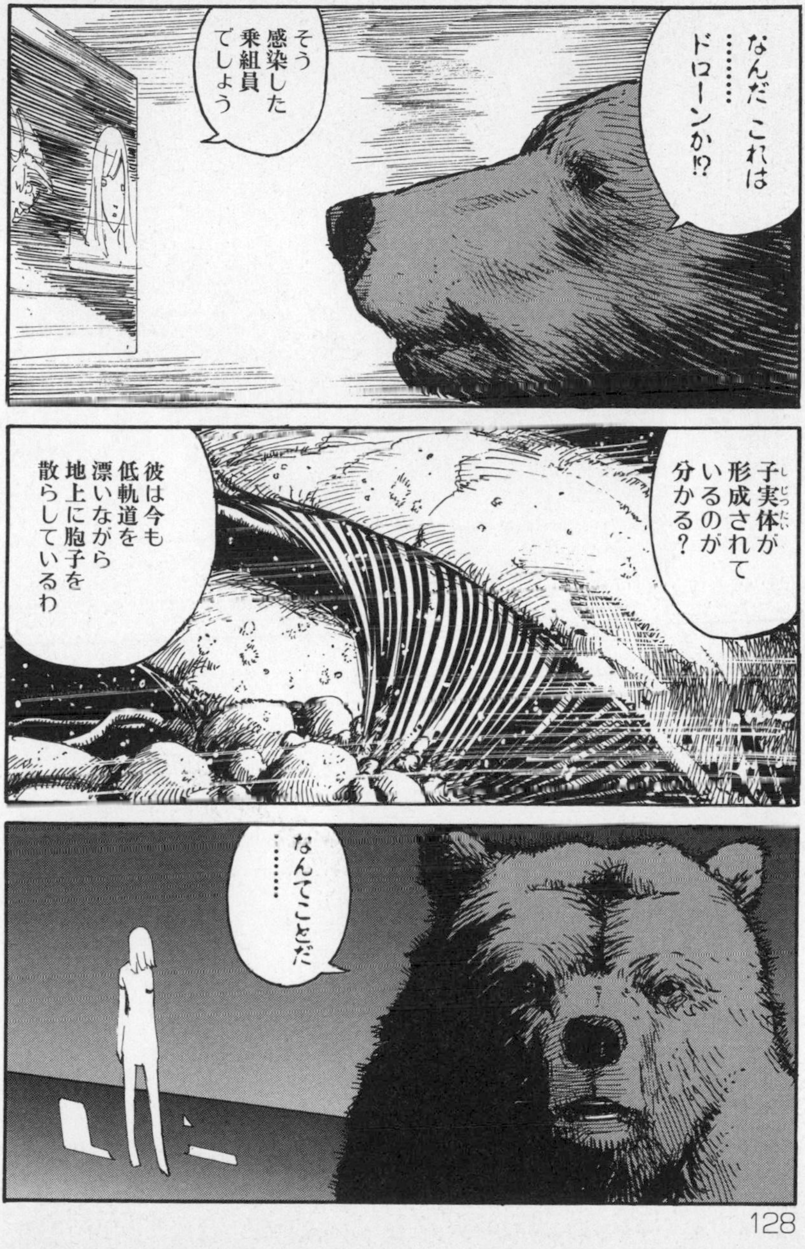
なんだ これは……ドローンか⁉
そう 感染した乗組員でしょう
子実体《しじつたい》が形成されているのが分かる？
彼は今も低軌道を漂いながら地上に胞子を散らしているわ
……なんてことだ

あと十四、五時間で地表全域にN5Sウィルスが行き渡るでしょう
なぜ東亜重工とDRFは協力し合わないんだ?
DRFが事実を公表しないから

DRFは既に9JOで何人かの適応者を発見していてどこかに隠しているの
それともう一つ※公衆衛生局が強化されて強制執行部隊が配備されたのは火星に探査船が送られる前だったわ
この意味が分かる?
いや
DRFは火星にN5Sウィルスがあることを知っていてあらかじめドローンへの対策を準備していたのよ
※公衆衛生局(Public Health Service)=DRFの下部機構

本当に ここで いいの?
ああ ここから 島の海下層に 行く 大丈夫だよ

これを渡しておく
通信機？
自己紹介がまだだったな
庚《かのえ》造一《ぞういち》だ

俺は コズロフ・Л《エル》・グレブネフ
私は カノエ・フユ 何かあったら 連絡して
待て
ガギン

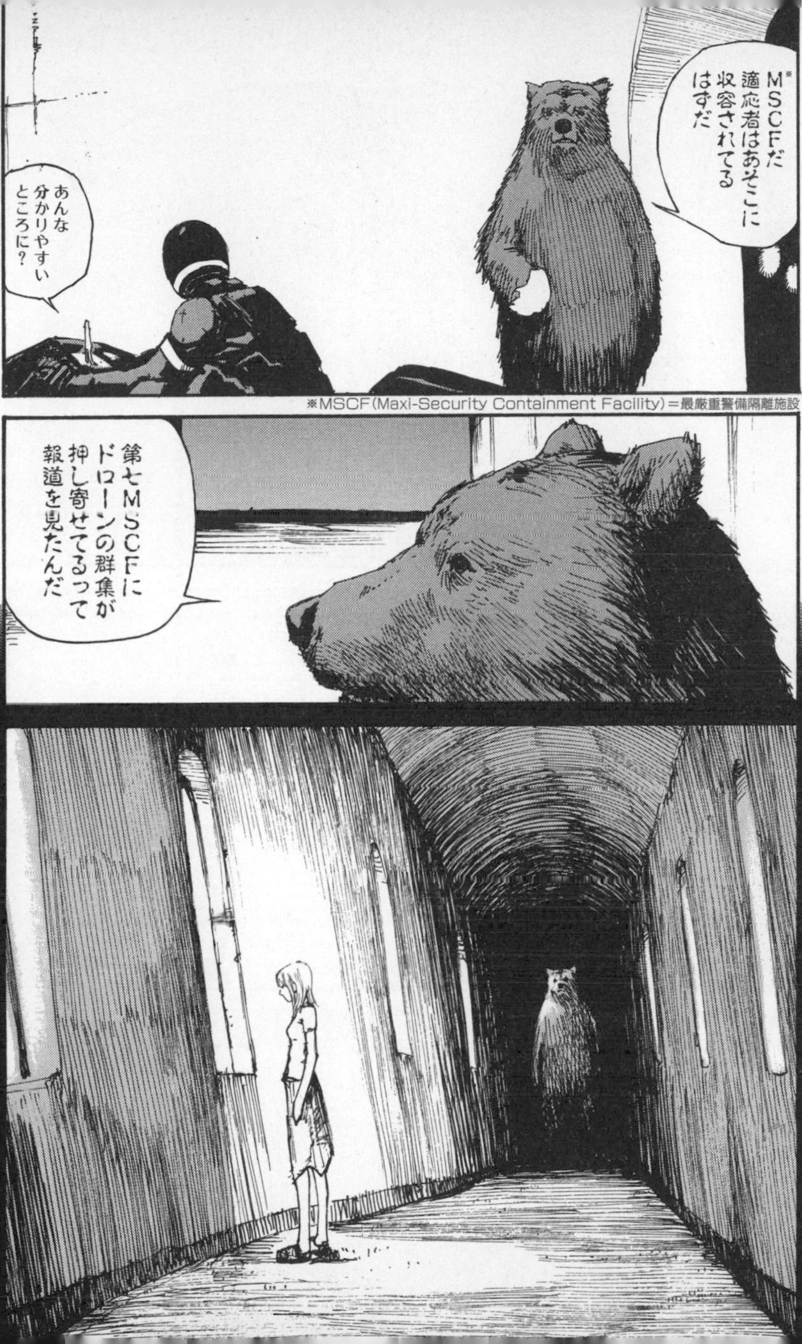

MSCFだ※
適応者はあそこに
収容されてる
はずだ
あんな
分かりやすい
ところに？
※MSCF(Maxi-Security Containment Facility)＝最厳重警備隔離施設
第七MSCFに
ドローンの群集が
押し寄せてるって
報道を見たんだ

イオンの周りにもドローンが集まってきてたんだよ
第七MSCFに向かう
了解

BIOMEGA
#6END

#7

MSCFの方向からイオン・グリーンのフェロモン分子を検出したわ

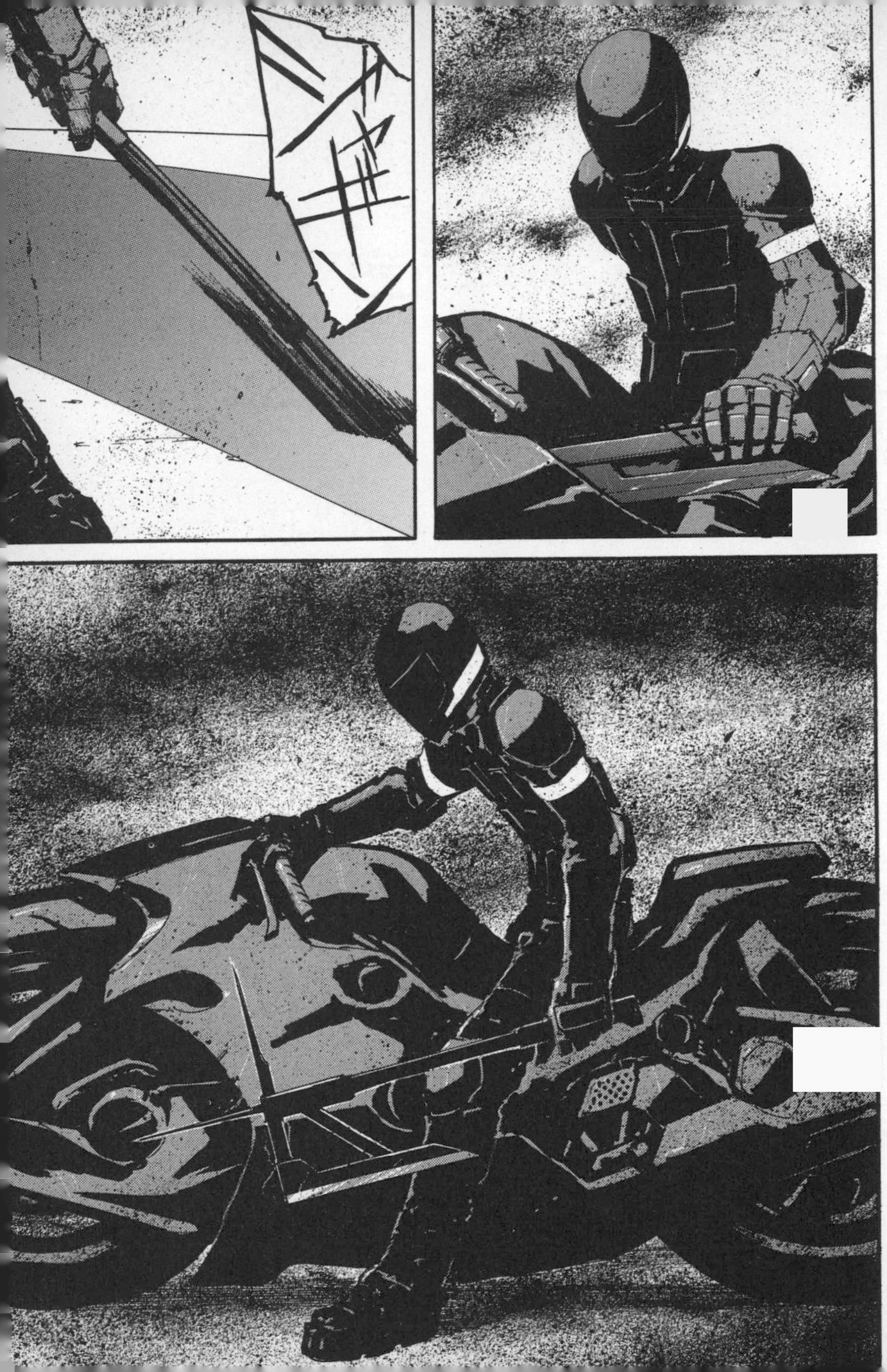

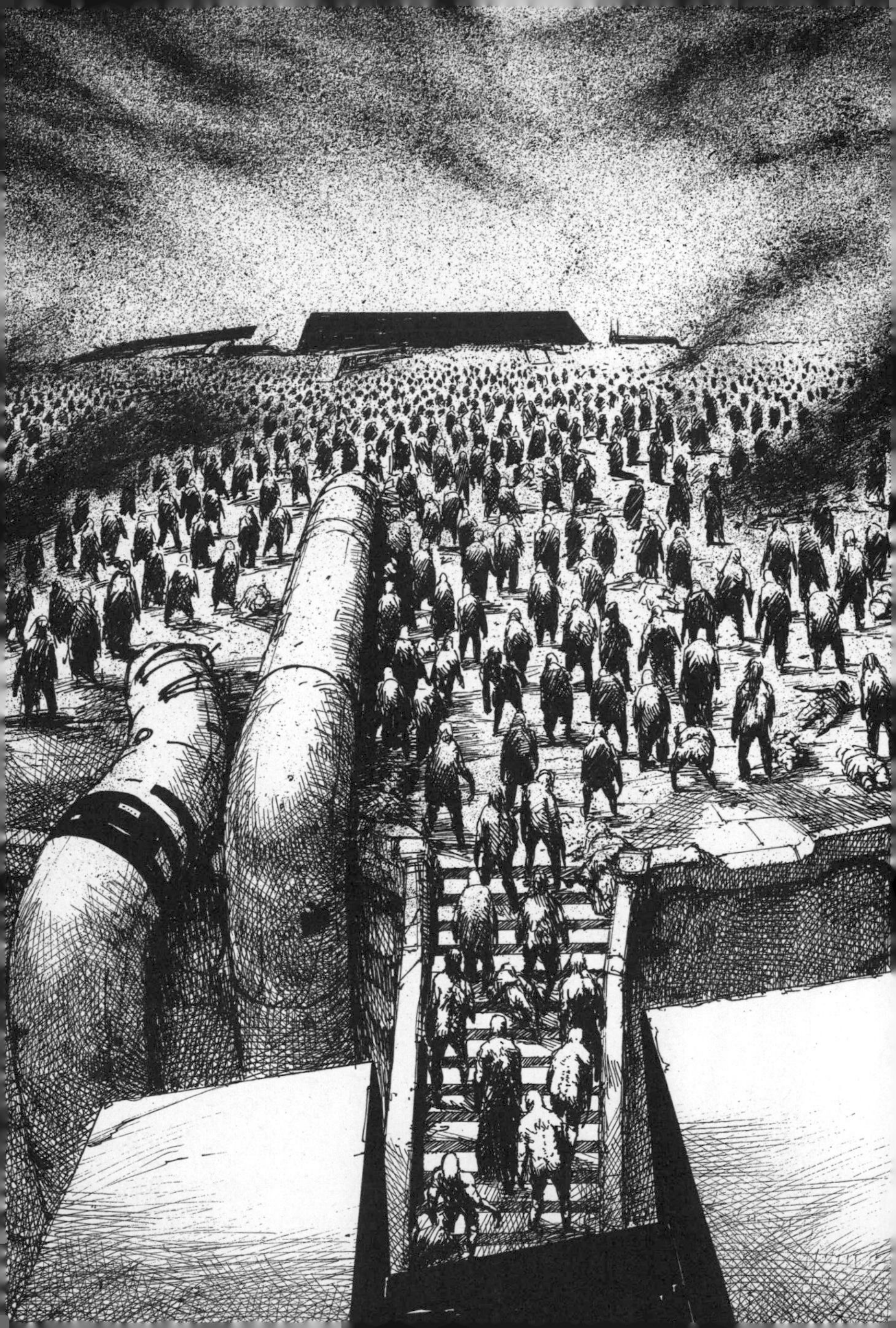

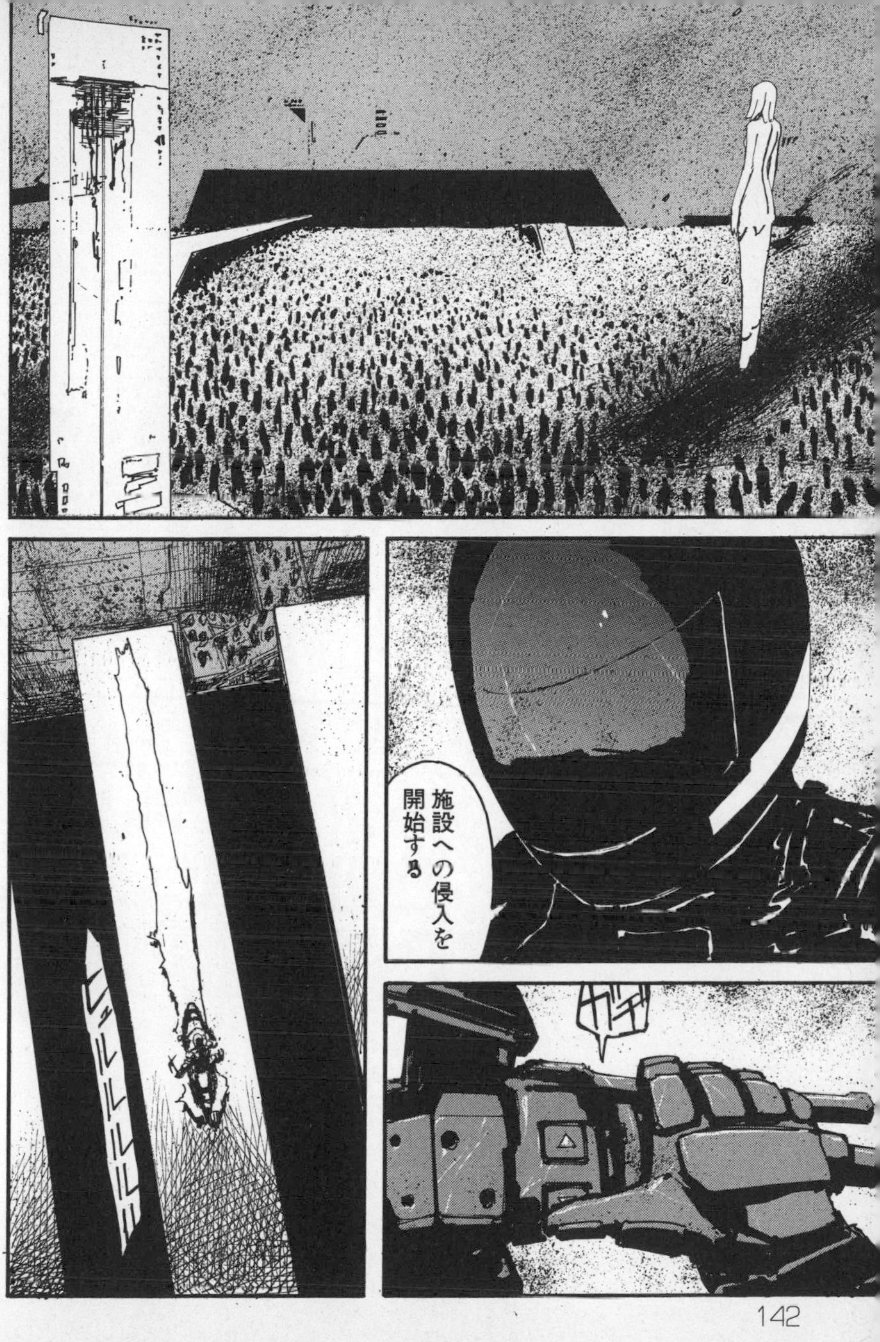
施設への侵入を開始する
ヒュルルルル
ガチ

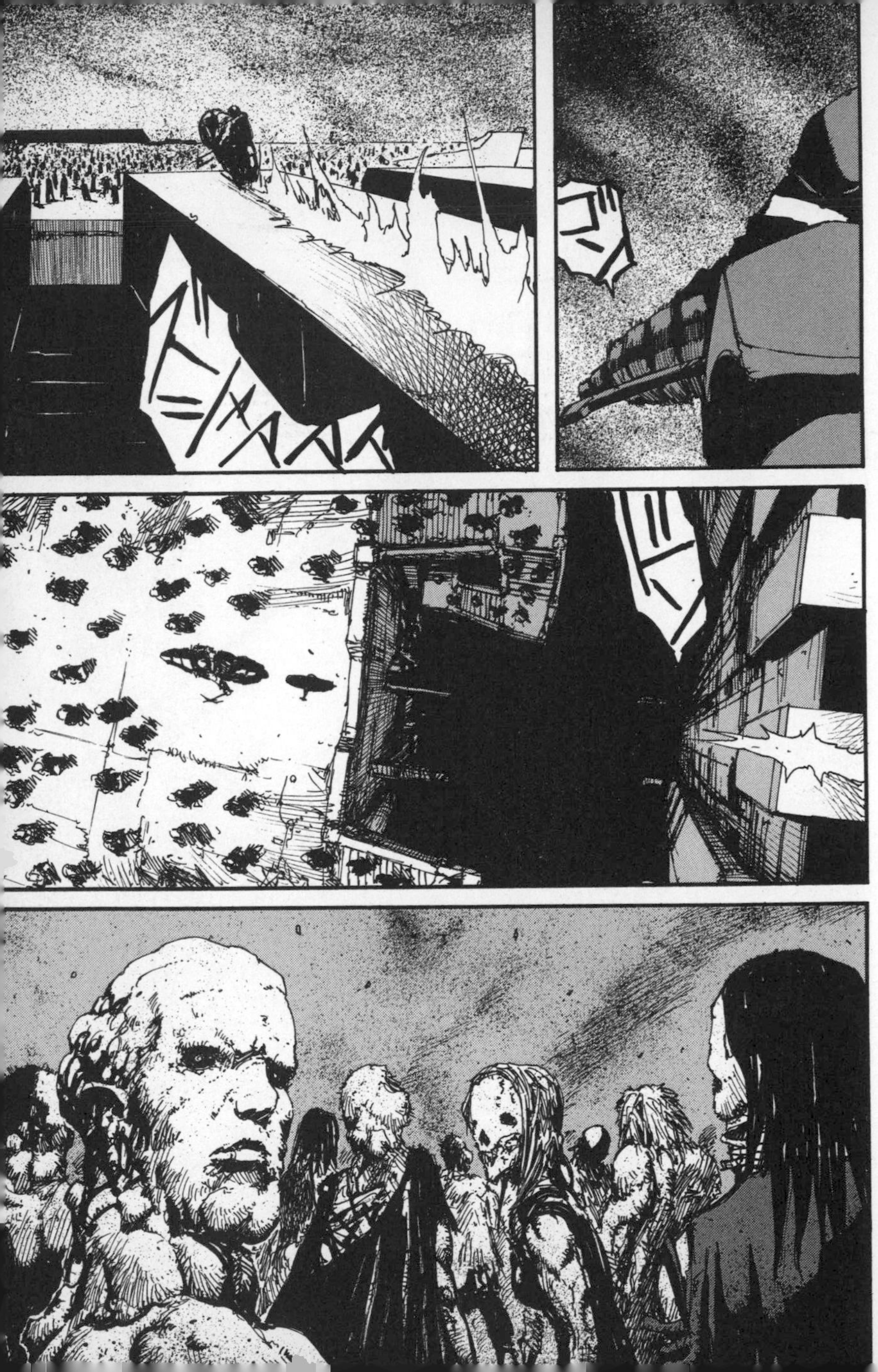

ドドドドド

ドン

ドーン

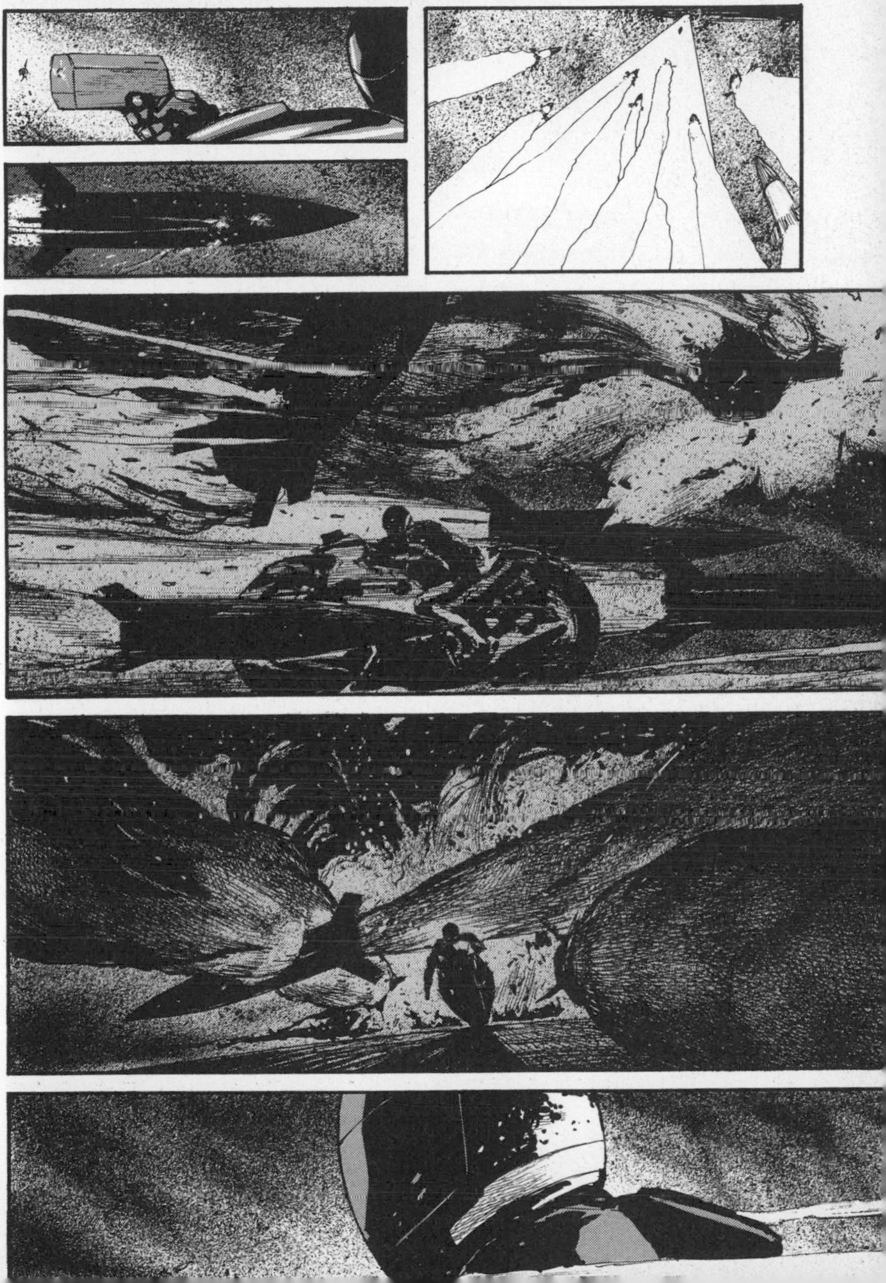

入リ口を開けるわ
カキン
ギン

もう一発!!

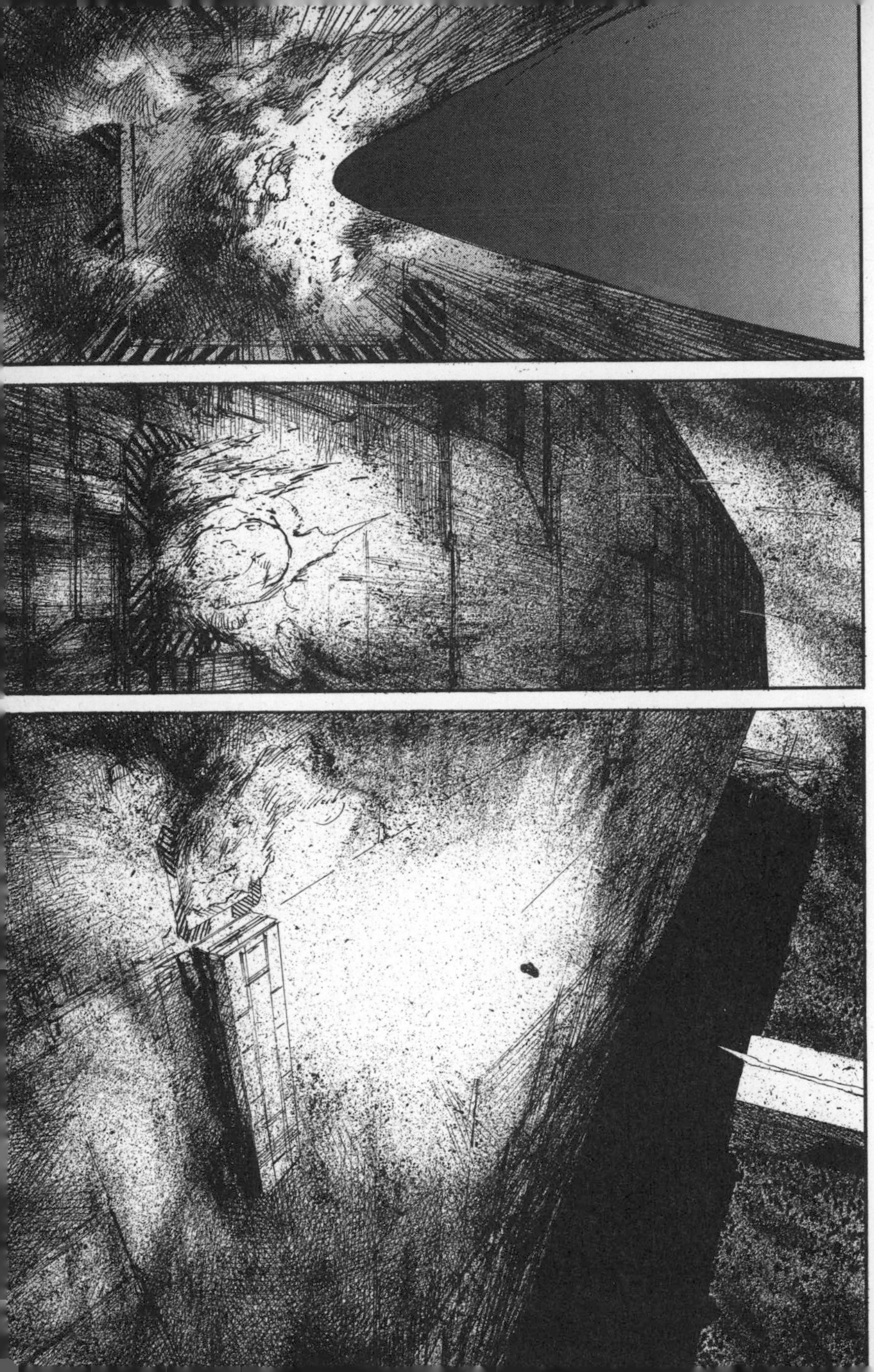

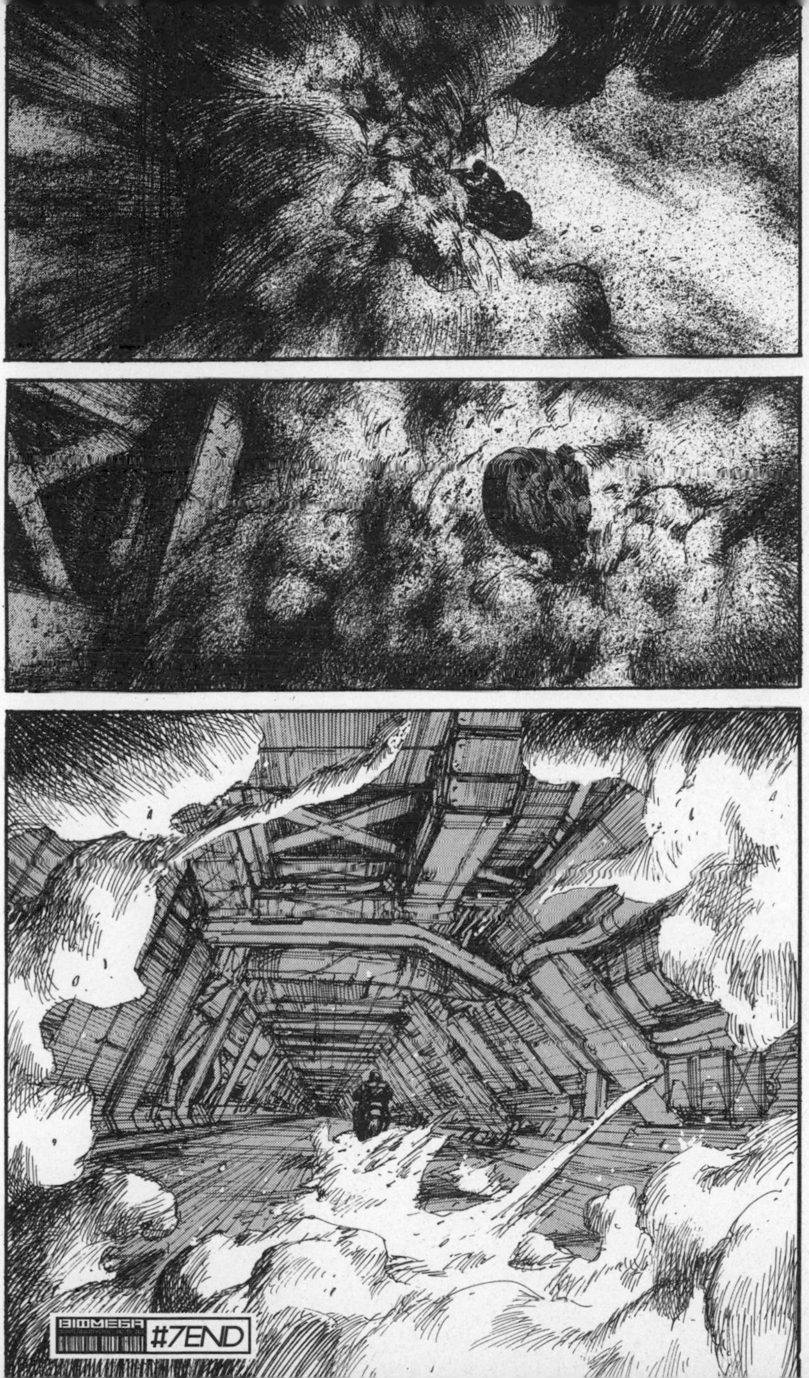
BIOMEGA
#7END

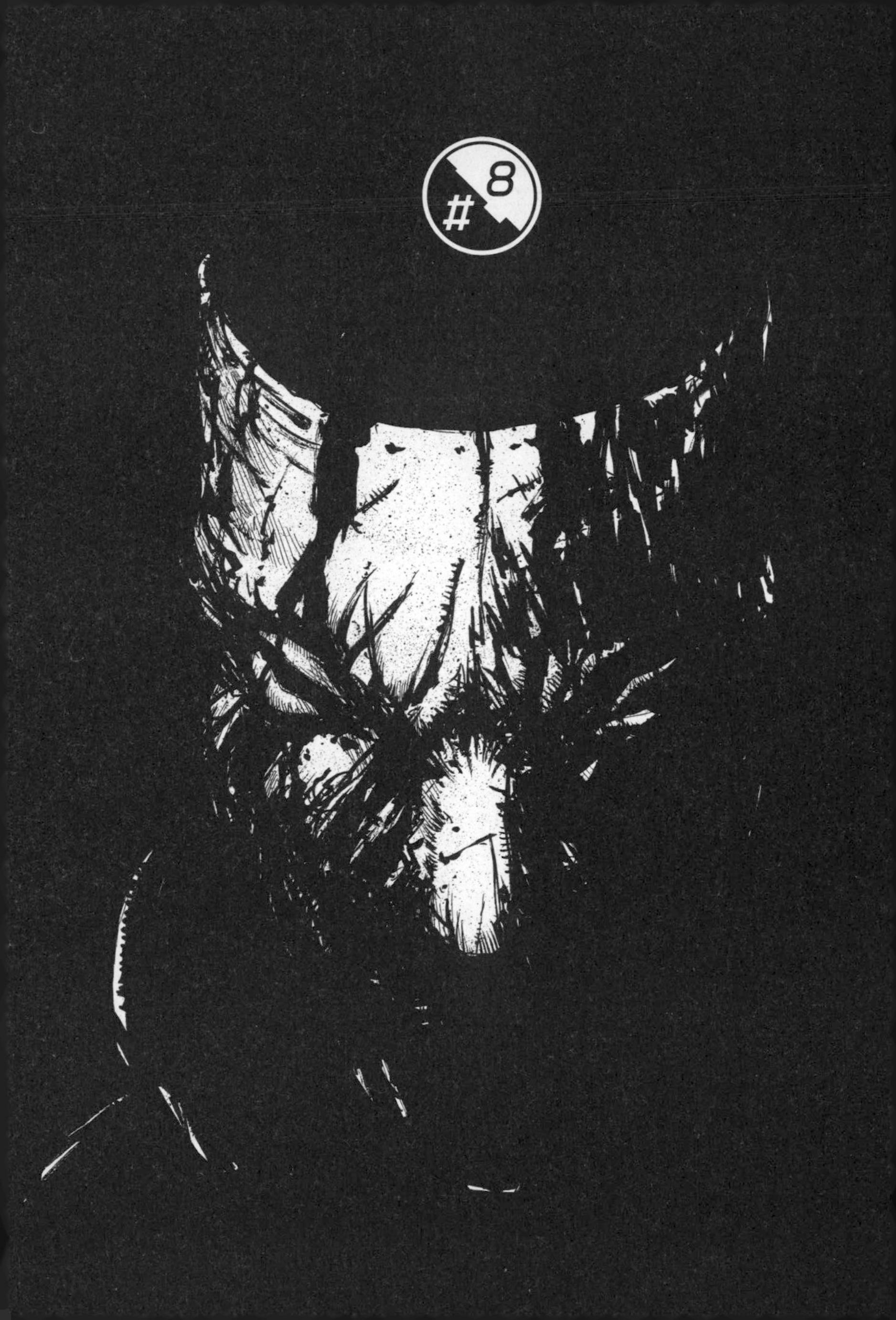
#8

公衆衛生局の職員がドローン化している…
施設内でも感染が起きていたのね

海下層へ続くエレベーターが使用中
見つけたわ
公衆衛生局は施設から撤退するつもりだわ

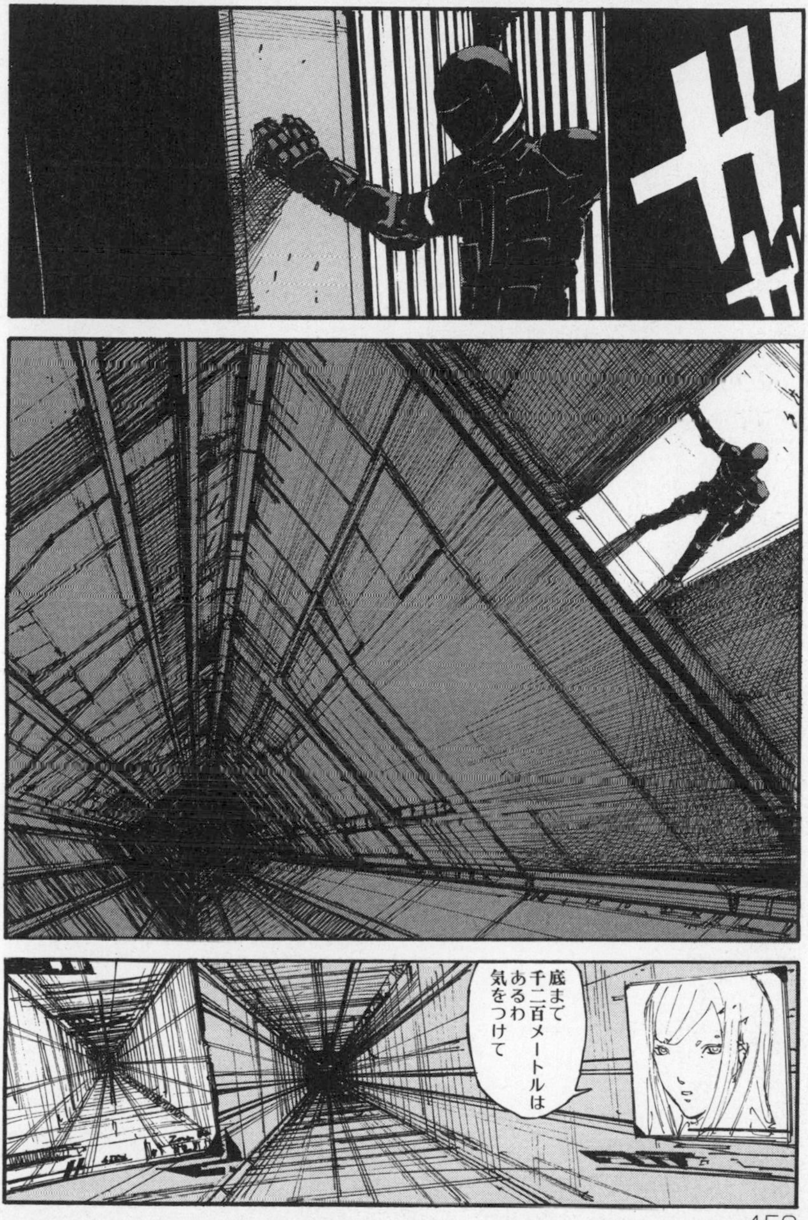
ギギ
底まで千二百メートルはあるわ気をつけて

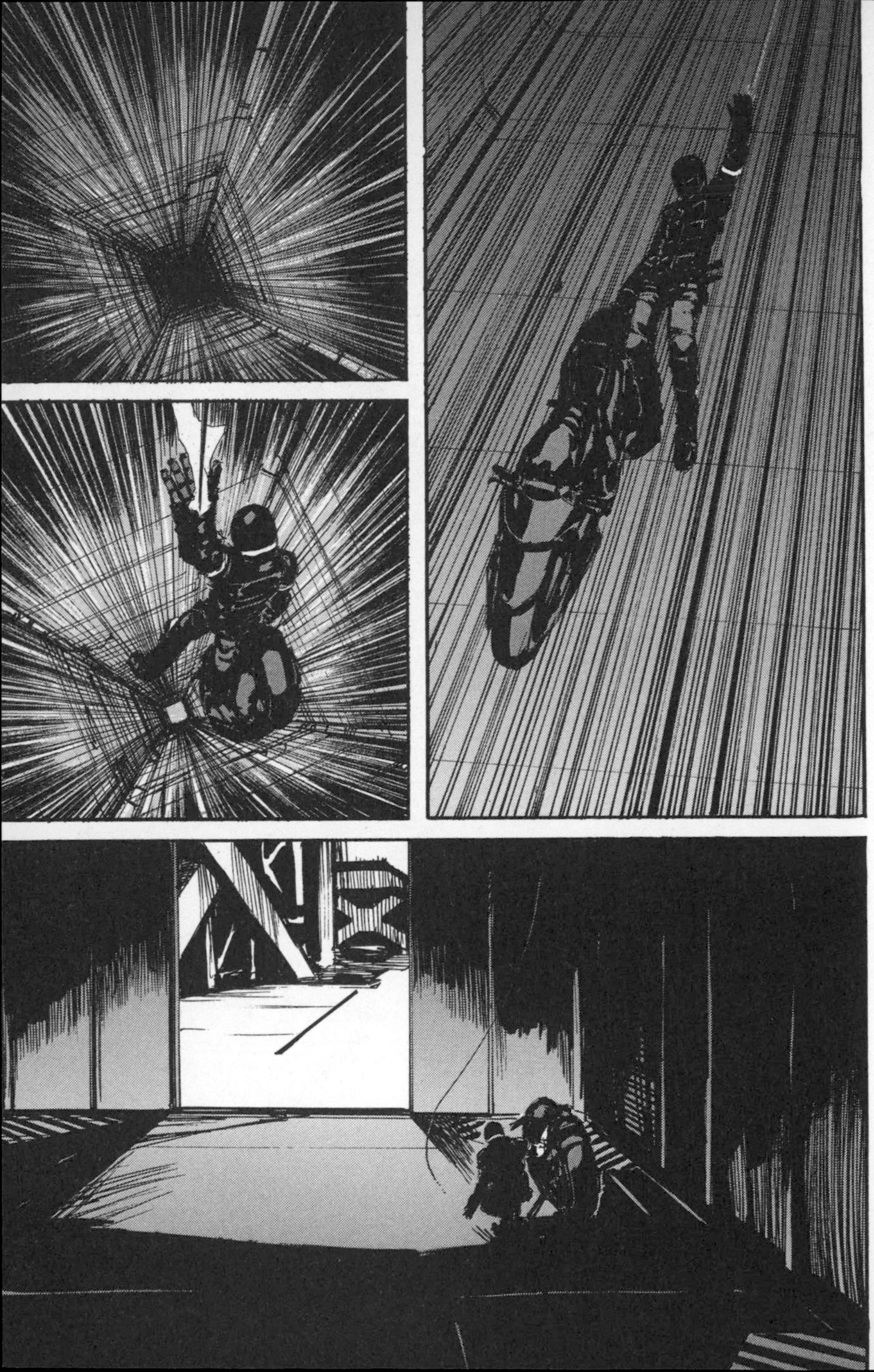

イオン・グリーン伏せろ!!

着弾ポイント…
弾体加速装置出力最大
マナーモード解除

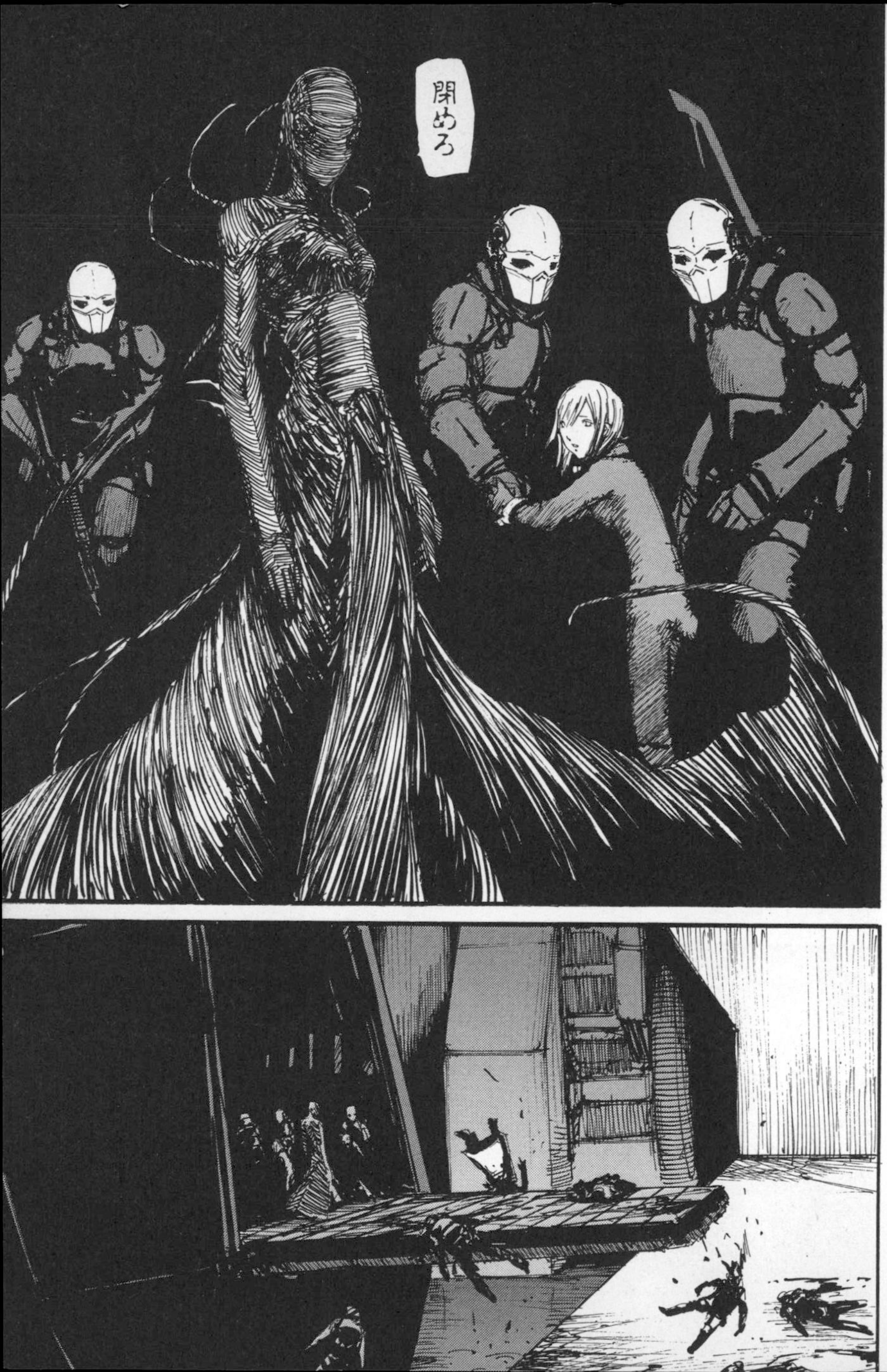
閉めろ

ゴゴゴ

ゴゴン
ドボオィ
ガ

ザッパァァ
残余電力不足
射出不可
発電中
ガチッ

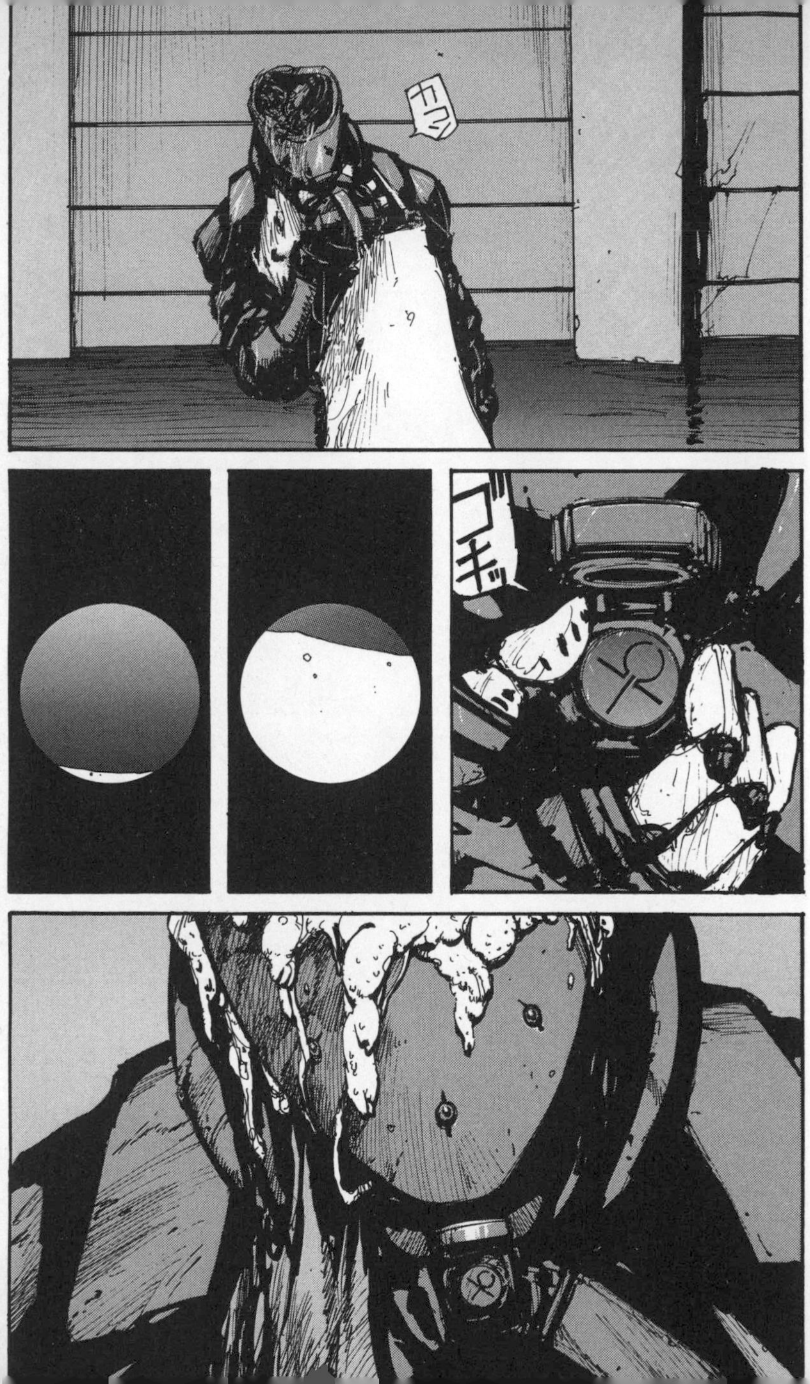
カッ
ゴキッ

#8END

#9

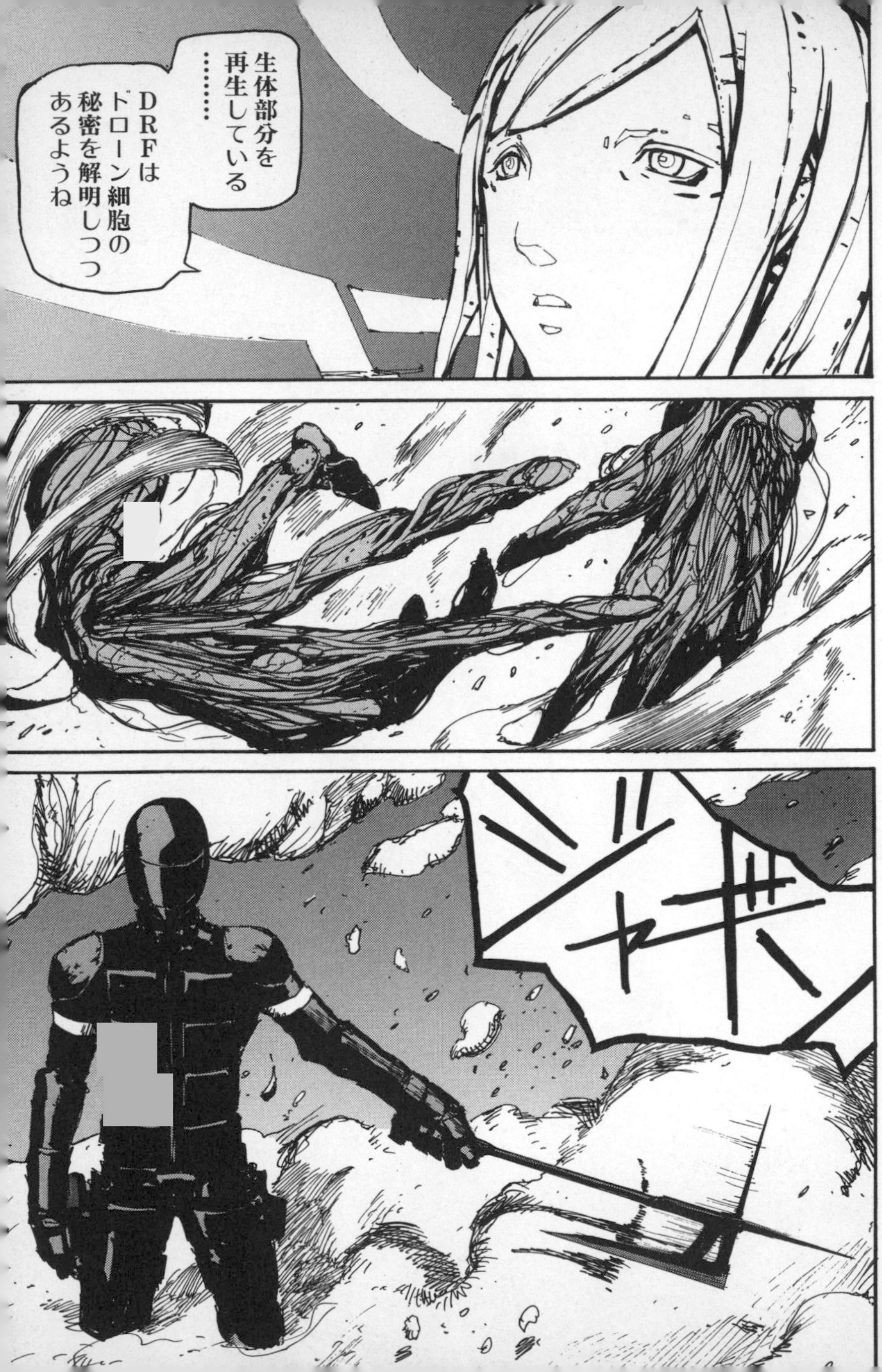
生体部分を
再生している
……
DRFは
ドローン細胞の
秘密を解明しつつ
あるようね
ジャキン

ドゴオ

バギャア

ガ

ゴゴゴゴ
ゴゴ
これは……
ロケットモーターの音……
モゴ

我々は 各地から
既に充分な数の
適応者を確保した
今から
古い種族を
粛清し
人類総改換計画を
次の段階へと
移行させる
なんだと
東亜重工に
できることなど
何もない

ヴシュウウ
ギュル
造一!!
振動の原因が分かったわ
サイロよ
9JOの全てのMSCFに隠されていたのよ
どういう事だ
この島から今軌道大陸間弾道ミサイルが13基発射されようとしている

攻撃目標は世界各地の人口密集地域
本土にある東亜重工所有の密閉型シェルターも目標に含まれているわ
DRFは適応者だけの世界を造ろうとしているのかもね
イオン・グリーンの追跡を一時中断する

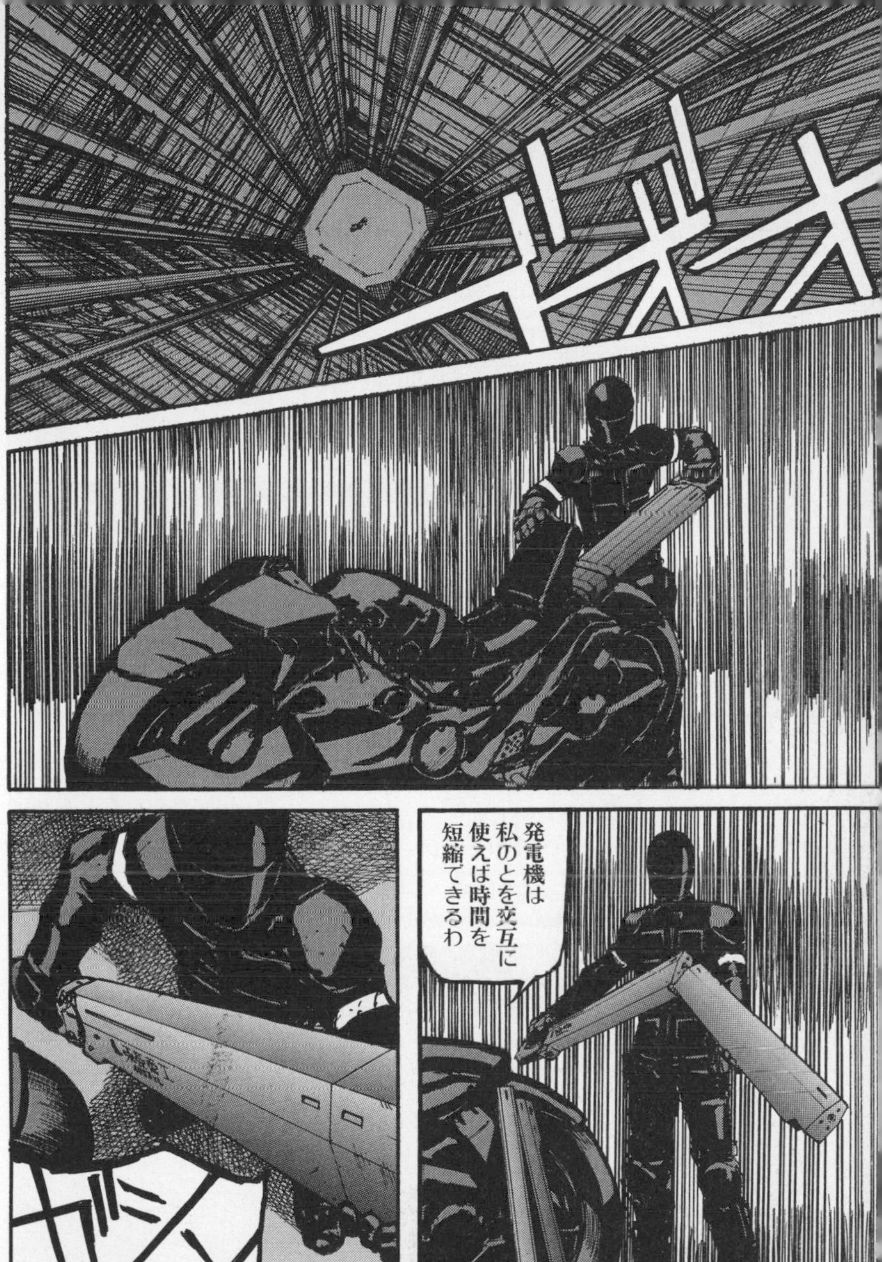
発電機は
私のとを交互に
使えば時間を
短縮できるわ

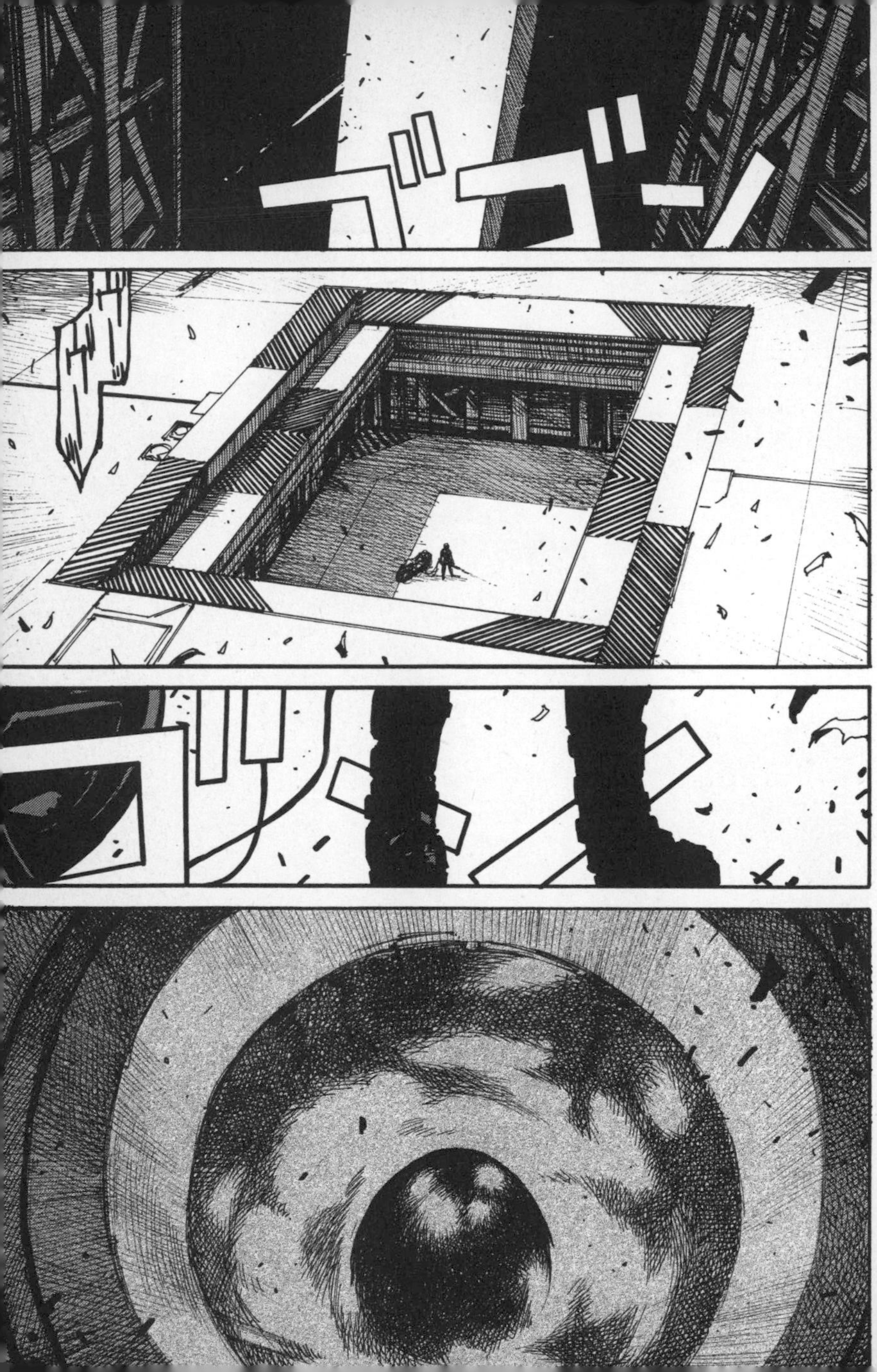
ゴゴーン

BIOMEGA #9END

10

……これら四十二か所の地方共同体および企業が所有する密閉可能なシェルターや地下都市が攻撃目標である
市民諸君も既に目撃している〈ドローン禍《か》〉は9JOのみならず世界各地に蔓延《まんえん》し始めている

さらに遅くても
半日後には
地球全土に
広がるだろう
我々は
新しい人類の為に
N5Sウィルスによる
洗礼を受けなければ
ならないのだ
以上　技術文《D》化
遺産《R》復興財《F》団と
公衆衛生局による
共同声明を原文のまま
お伝えしました
彼らのいう
新しい人類とは
歩く死者のこと
なのでしょうか

ドン
だとしたら
私は洗礼など
受けたくない

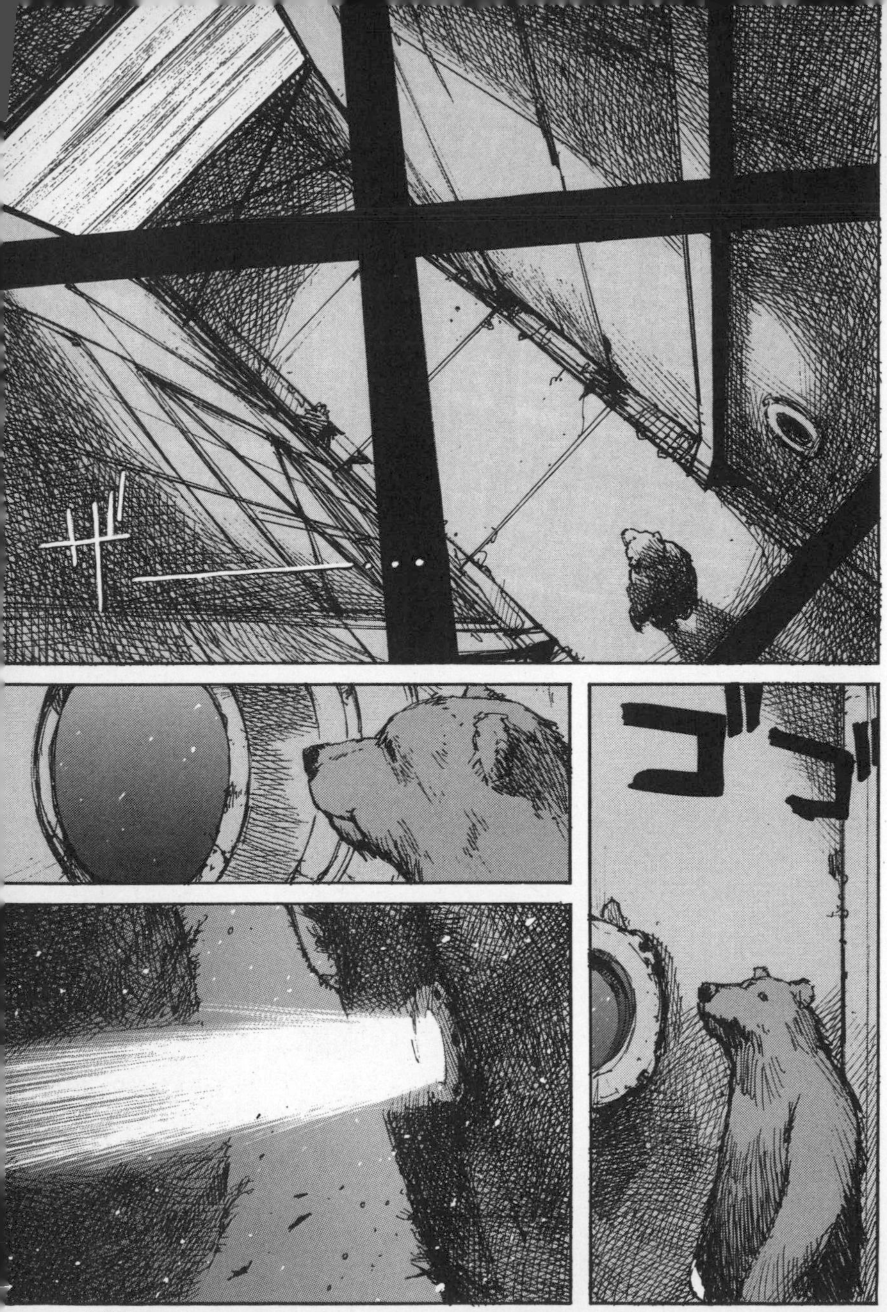
ザー‥
ゴゴ

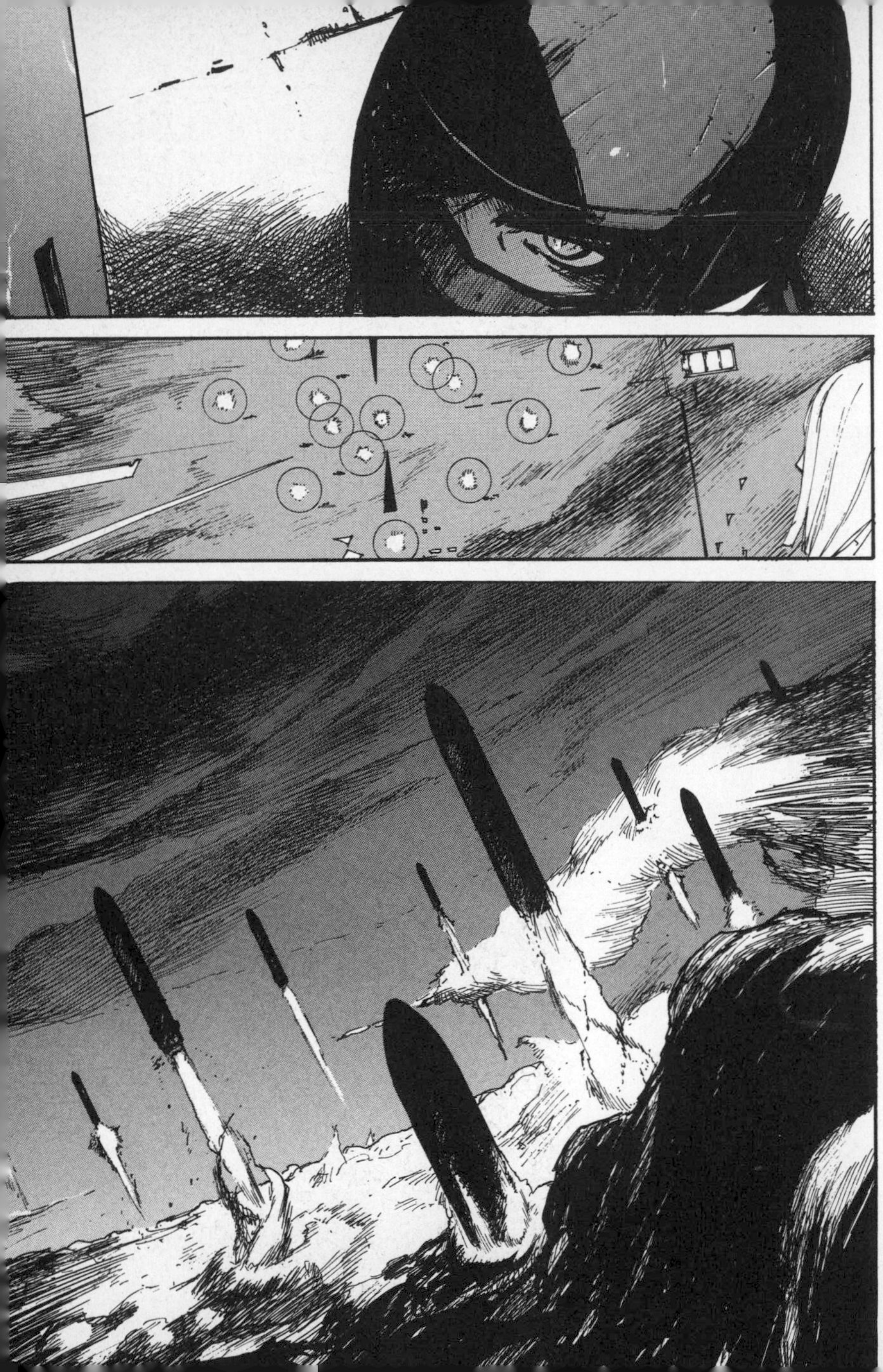

ドン

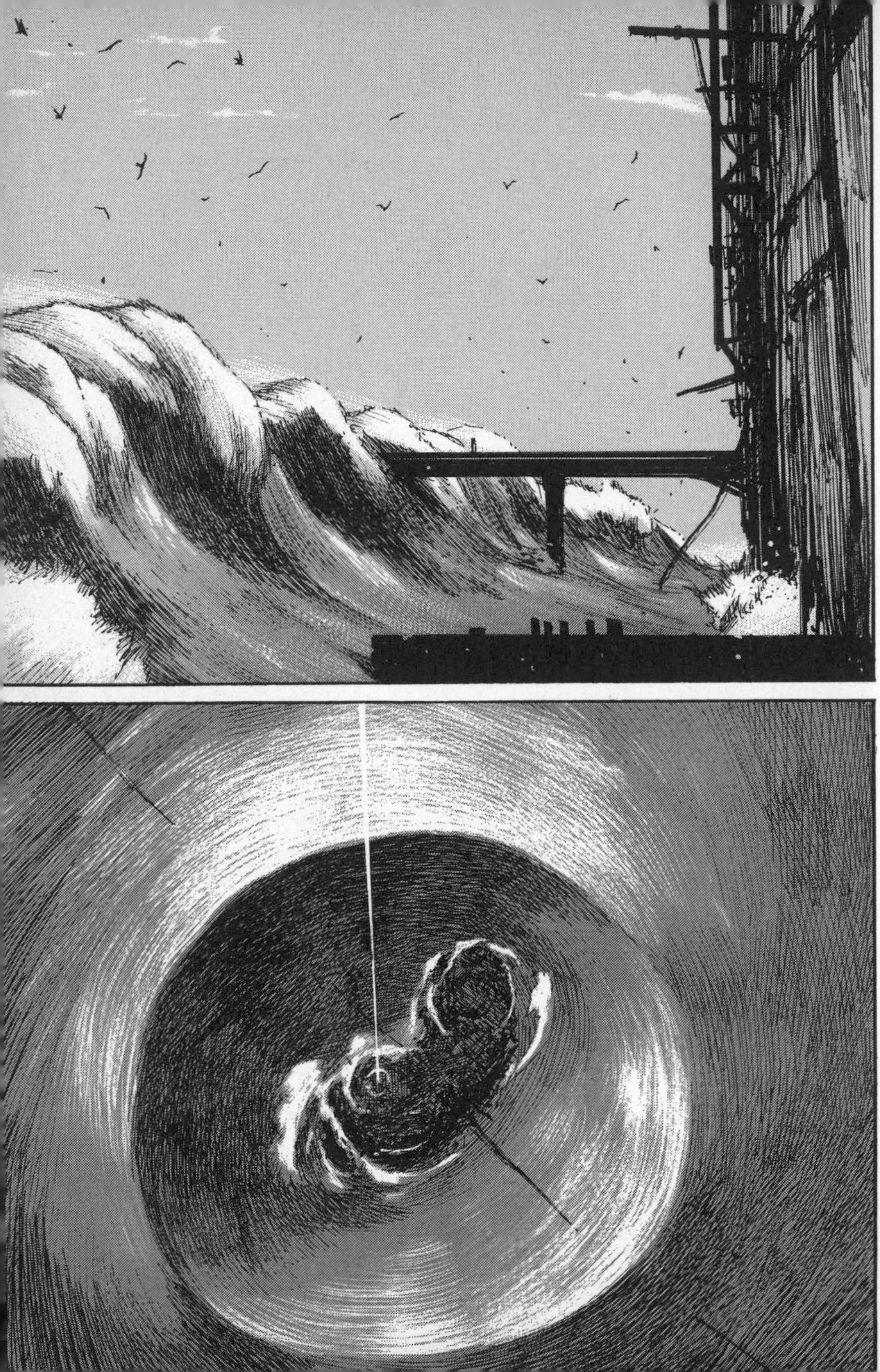

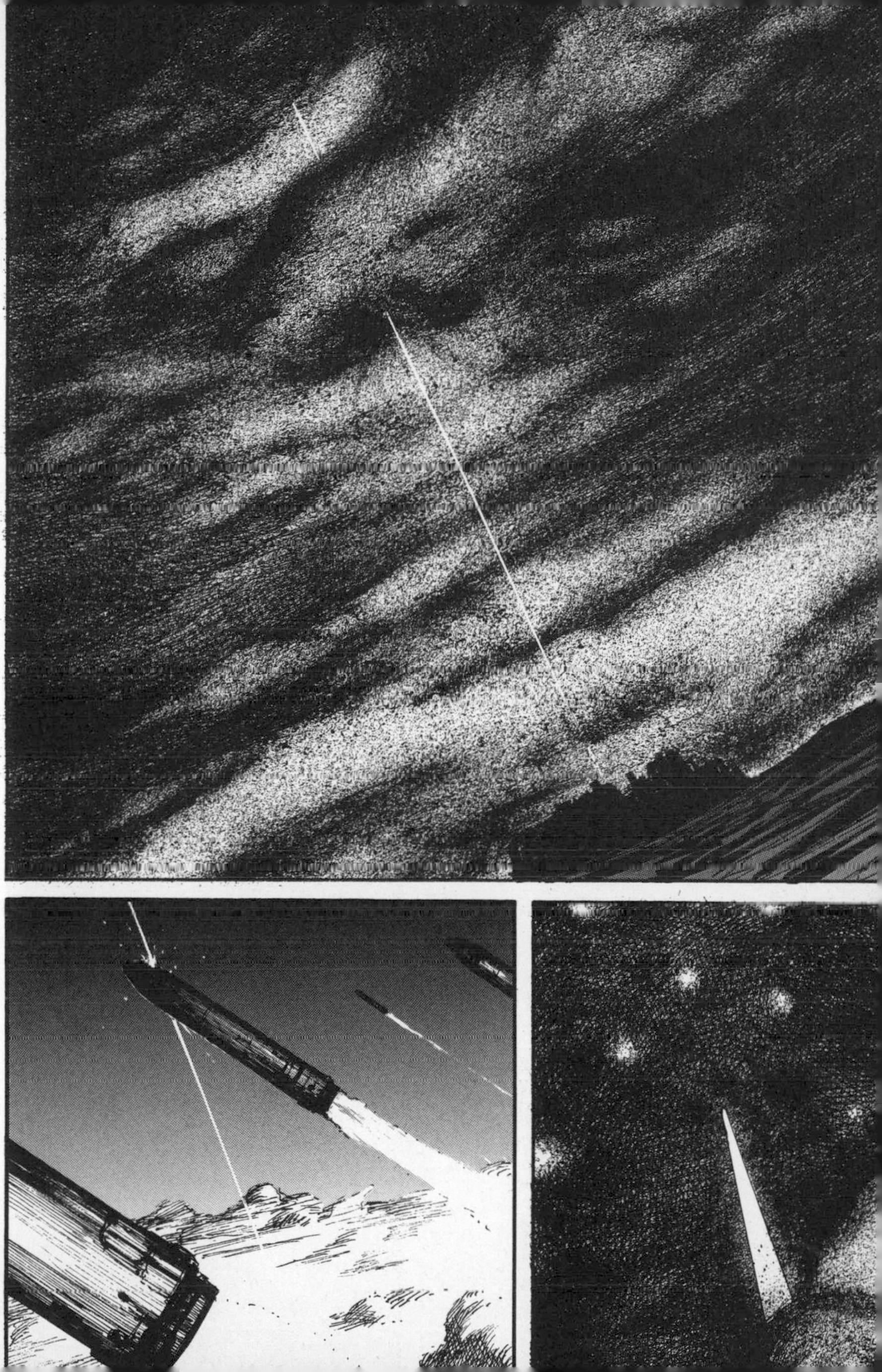

四基《よんき》誘爆《ゆうばく》
残り八基

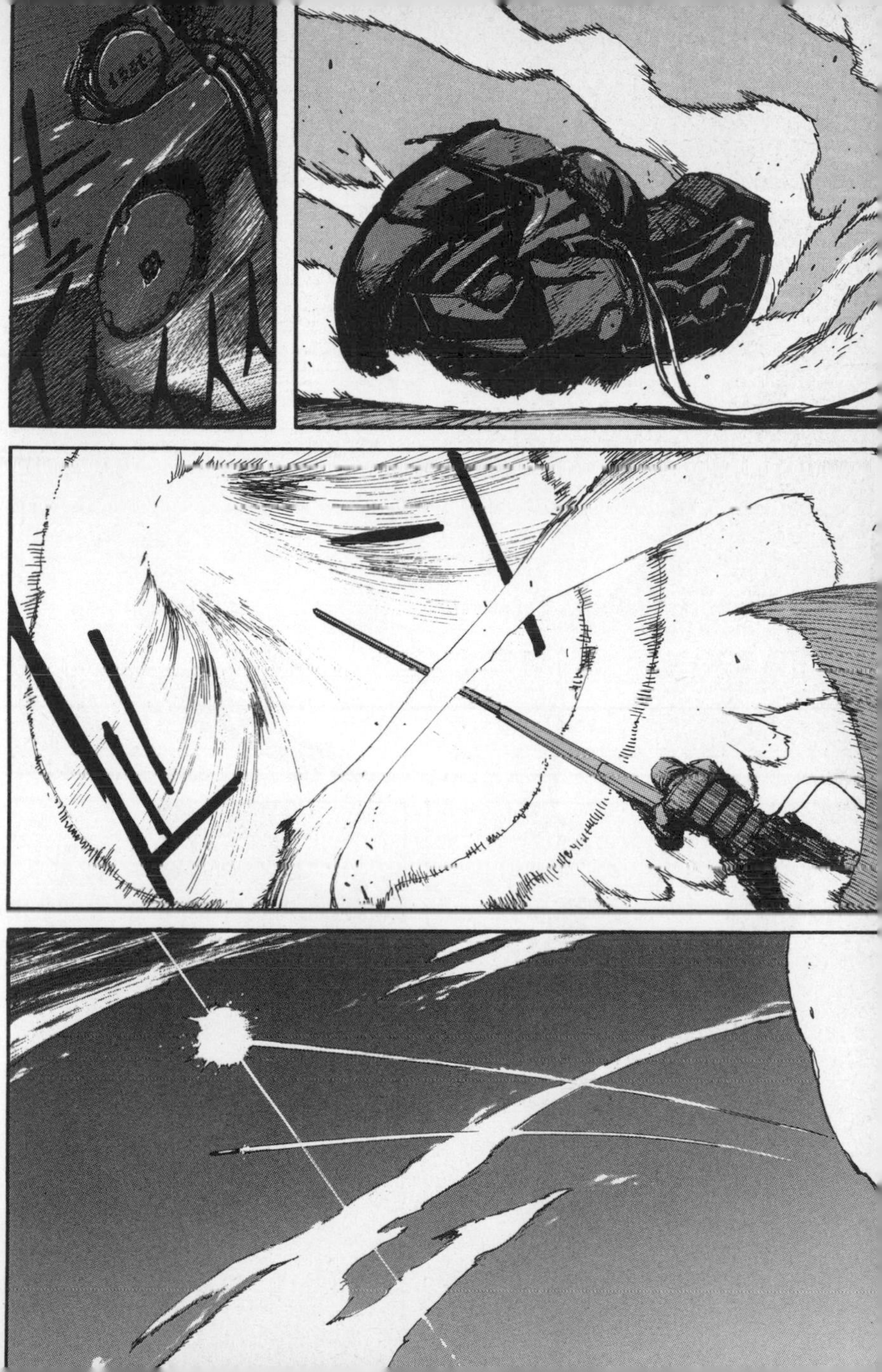

最後の一基が再突入を開始

ゴゴ
ザッ……
コズ……
サシュ…
コズロフ……
…聞こえる?
…ザッザッ

ああ！聞こえる
ザザザザザ良かった無事みたいね
とにかく……ザッ…私たちはイオン・グリーンを追いかけるわザ――――ッ
おい？待て！いったいどうなってんだ？

BIOMEGA
#10END

interlink

DRFは宣言通り軌道大陸間弾道ミサイルを人工島の9JOから発射し……
安全な病院はどこにもありません！
DRFが発射したミサイルによる被害の報告はどの地域からも入っておらず…
街中を死者が歩きまわっている！しっかり掛け…
…イ島で空に巨大な光球がいくつも目撃されています 撮影した…
たとえそれが家族であっても……
政府はDRFとの公務契約を一方的に破棄しました CEU《セウ》 強制執行部隊はもう我々市民の味方ではありません！
……した模様！軍はCEUと衝突 市街地で大規模な戦闘が……
依然としてN5Sウィルスの脅威は去っていないのである！
外出は避け常にマスクを着用すること！
外への警戒を怠《おこた》らないこと！

전하원
注意を怠らないこと!
警戒を怠ら…
ドオオオ

ゴオオ
大丈夫 五宇《ごう》？
タイラ 9JOは どうなった？
庚班が全ての ミサイルを 撃墜したわ
それより 気をつけて 追っ手がまだ 生きている

そうか
造一がやって
くれたか
カチ
ええ
これでまだ
望みがでて
きたわ
ズル
私たちが
発見したモノは
必ず持ち帰ら
なければ
!?
ギギギギ
ギャ
何をする
の!!
フッ
ちょっー
ブチ
先に行ってて
くれ

ピンピンピ

C.E.U

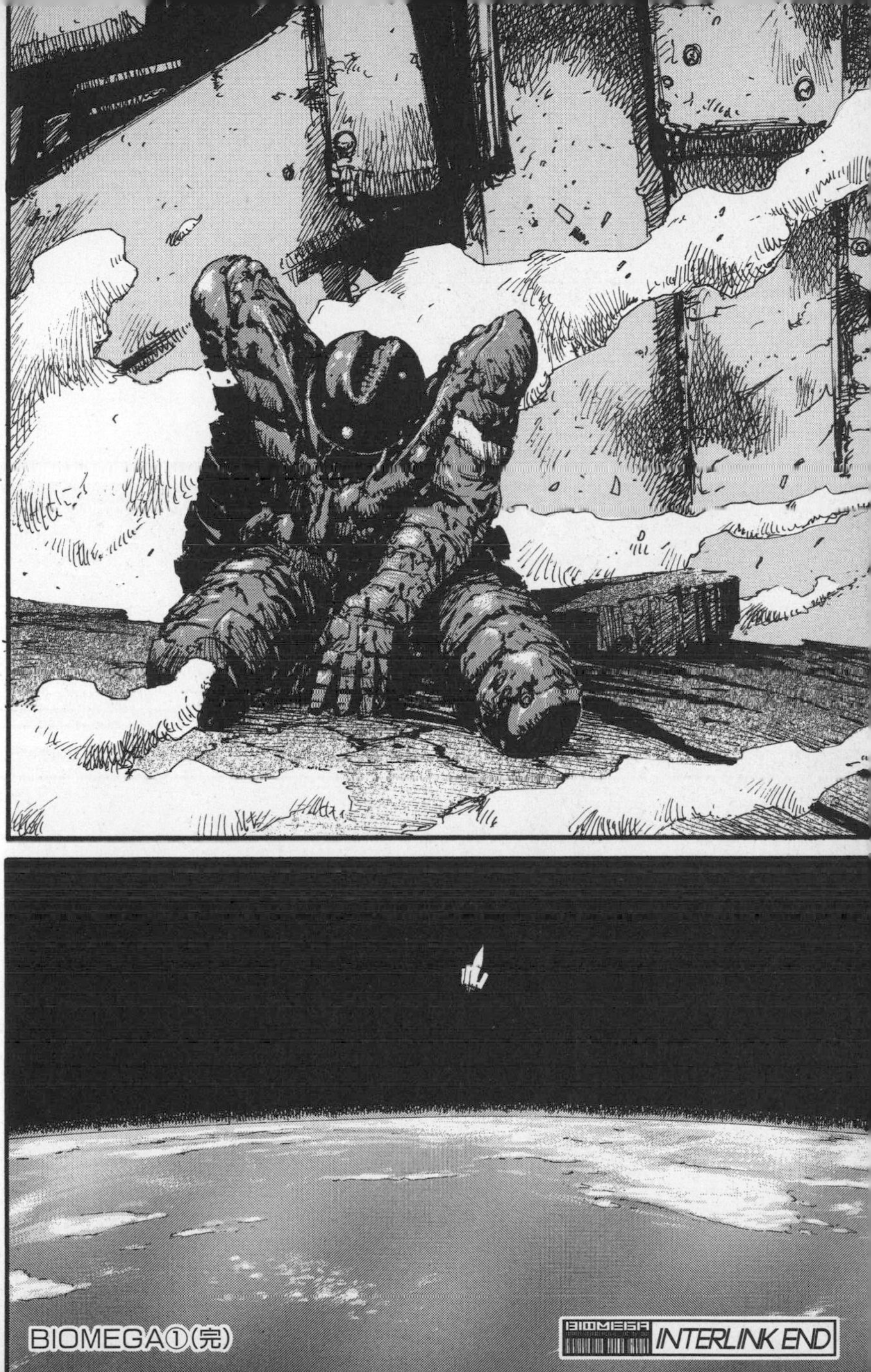
BIOMEGA①(完)
INTERLINK END

BIOMEGA

1

編集::岡崎康介

EDITOR::KOSUKE OKAZAKI

装丁::メチクロ[MHz]

BOOK DESIGN::Matic-log[MHz]

本書は「週刊ヤングマガジン」2004年第29号〜第33号(#1〜#5)、

第36号〜第41号(#6〜#10)掲載分、及び、

「ウルトラジャンプ」2006年5月号掲載分(バイオメガ -interlink-)を収録しました。

ヤングジャンプ・コミックス・ウルトラ

BIOMEGA 1

発行日2007年1月24日【第1刷発行】
2007年3月25日【第3刷発行】

著者
弐瓶 勉

© Tsutomu Nihei 2007

編集
株式会社ホーム社
〒101-8050
東京都千代田区一ツ橋2丁目5番10号
電話 03(5211)2651

発行人
太田富雄

発行所
株式会社集英社
〒101-8050
東京都千代田区一ツ橋2丁目5番10号
電話
03(3230)6236(編集部)
03(3230)6191(販売部)
03(3230)6076(読者係)

印刷所
凸版印刷株式会社

Printed in Japan　ISBN978-4-08-877210-3　C9979